# SING ALONG
## 10 FEMALE ROCK SONGS
**4 NON BLONDES, ANASTACIA, AVRIL LAVIGNE AND MORE**

**BOSWORTH EDITION**
The Music Sales Group
www.bosworth.de

**SING ALONG**
**10 FEMALE ROCK SONGS**
**BOSWORTH EDITION**



Covergestaltung: Fresh Lemon
Fotos: Copyright © by London Features International LTD.,
except "4 Non Blondes" copyright © by Getty Images,
except "Loosavanna" copyright © by Sami Khatib.



BOE7534
ISBN 978-3-86543-601-6

Printed in the EU

www.bosworth.de

INHALT / CONTENTS

1

# I'M OUTTA LOVE

## ANASTACIA

Words & Music by Anastacia,
Sam Watters & Louis Biancaniello

♩ = 119.5

### INTRO

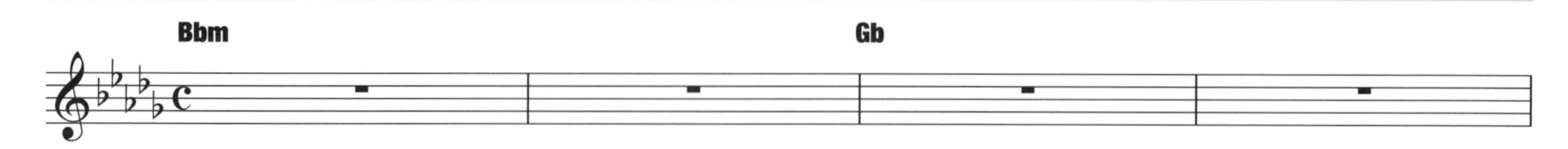
Bbm
Gb

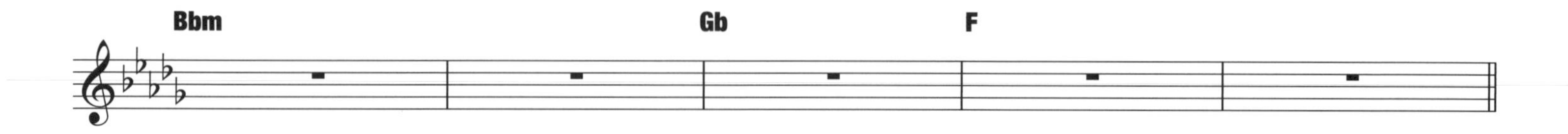
Bbm
Gb
F

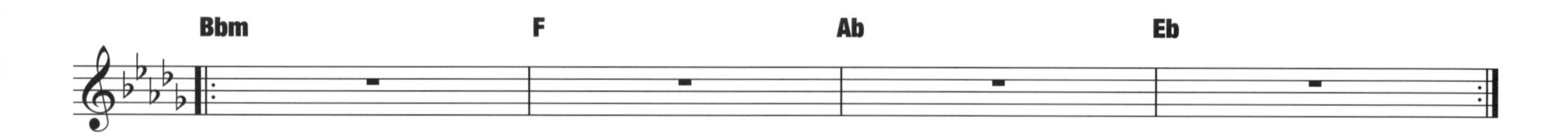
Bbm
F
Ab
Eb

### VERSE 1

Bbm
F
Ab
Eb
Now ba - by come on, don't claim that love you nev - er let me fear.

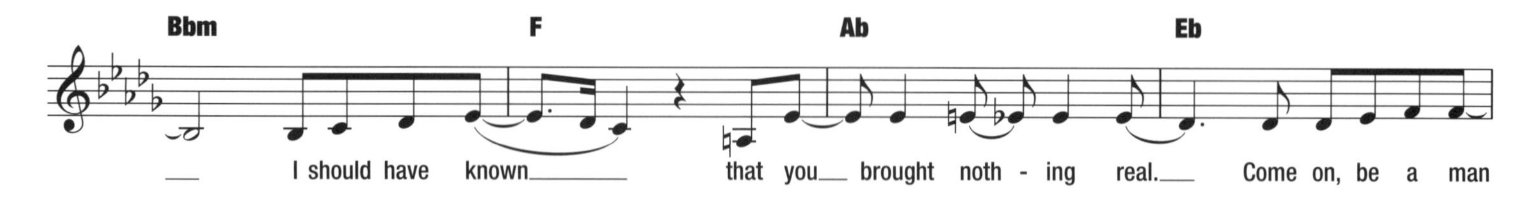
Bbm
F
Ab
Eb
I should have known that you brought noth - ing real. Come on, be a man

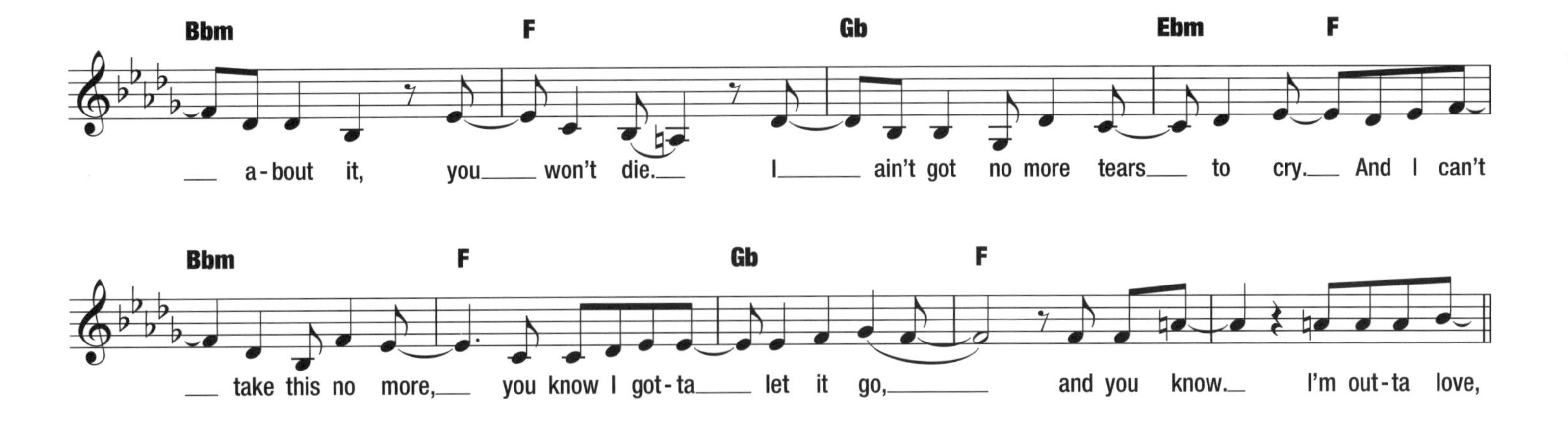
Bbm F Gb Ebm F
__ a-bout it, you__ won't die.__ I__ ain't got no more tears__ to cry.__ And I can't
Bbm F Gb F
__ take this no more,__ you know I got-ta__ let it go,__ and you know.__ I'm out-ta love,

## CHORUS

Bbm F Ab Eb
__ set__ me free__ and let me out__ this mi - se - ry.__ Just show me the way
Bbm F Ab Eb
__ to get__ my life__ a - gain__ 'cause you__ can't hand - le me.__ Said I'm out-ta love,
Bbm F Gb F
__ can't__ you see?__ Ba - by that you__ got-ta set__ me free,__ I'm__ out-ta love.

Bbm

## VERSE 2

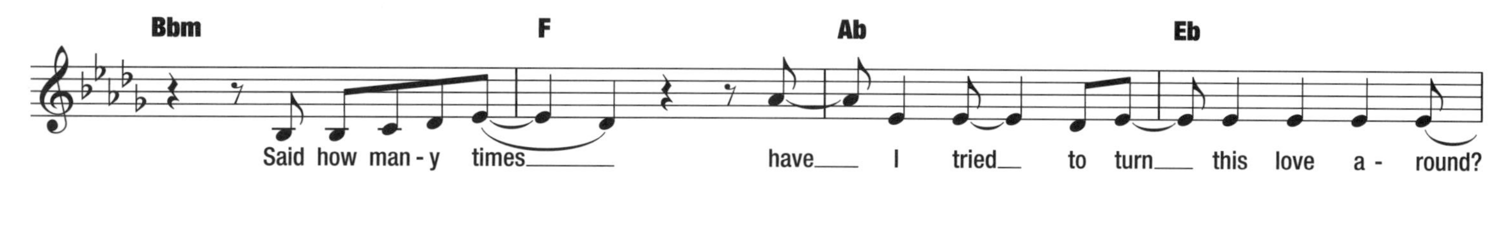
Bbm F Ab Eb
Said how man - y times have I tried to turn this love a - round?

Bbm F Ab Eb
But e - ve - ry time you just let me down. Come on, be a man

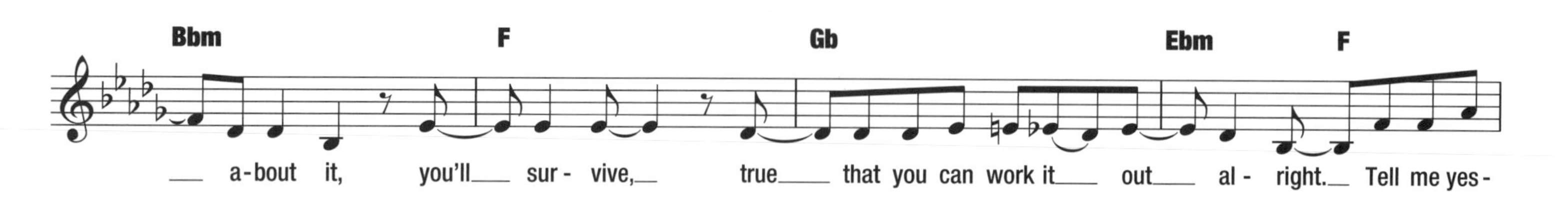
Bbm F Gb Ebm F
a-bout it, you'll sur- vive, true that you can work it out al - right. Tell me yes-

Bbm F Gb F
-ter- day did you know I'd be the one to let you go, and you know. I'm out-ta love,

## CHORUS

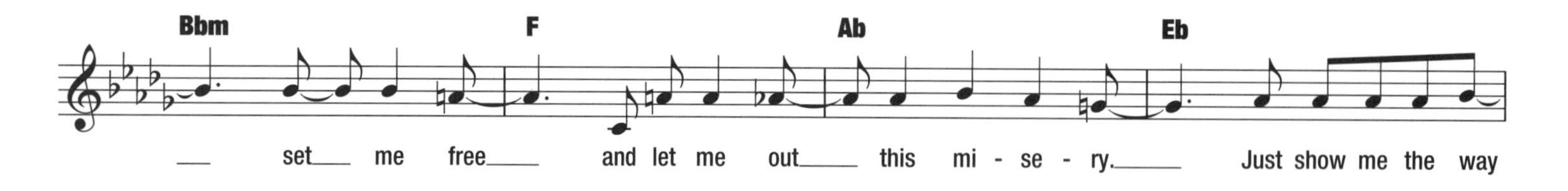
Bbm F Ab Eb
set me free and let me out this mi - se - ry. Just show me the way

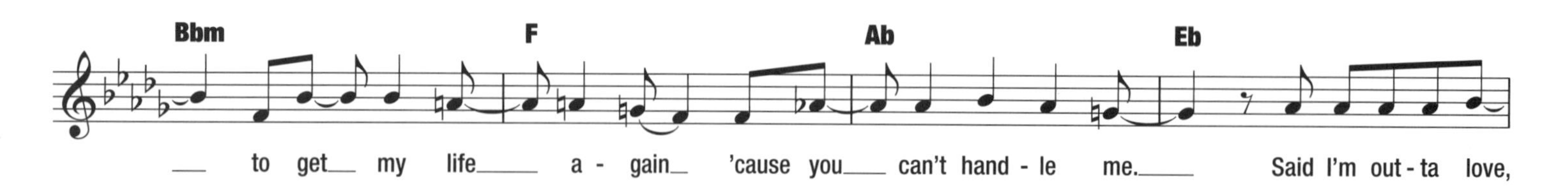
Bbm F Ab Eb
to get my life a - gain 'cause you can't hand - le me. Said I'm out - ta love,

Bbm F Gb F
can't you see? Ba - by that you got - ta set me free, I'm out - ta.

## BRIDGE

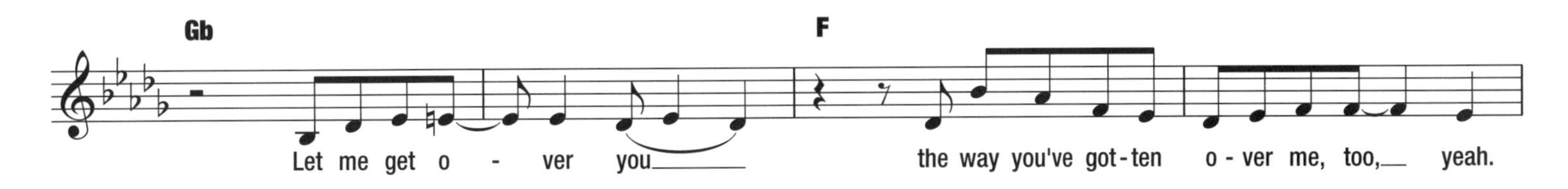

Gb
F
Let me get o - ver you the way you've got-ten o-ver me, too, yeah.

Gb
Fsus4
Seems like my time is com-ing now I'm mov - ing on and I'll be strong - er.
I'm out-ta love


## CHORUS

Bbm
F
Ab
Eb
set me free and let me out this mi - se - ry. Show me the way


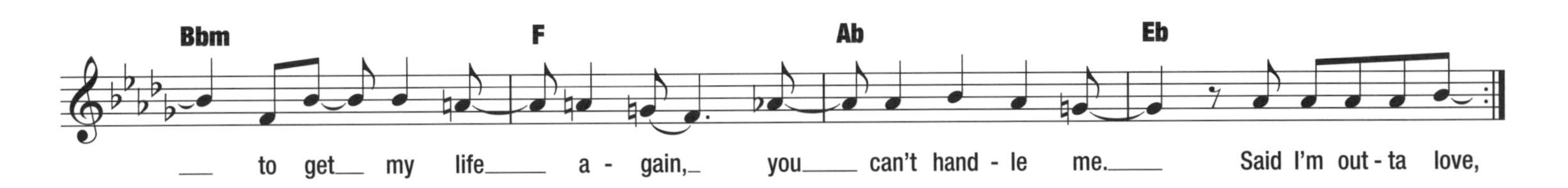

Bbm
F
Ab
Eb
to get my life a - gain, you can't hand - le me. Said I'm out-ta love,


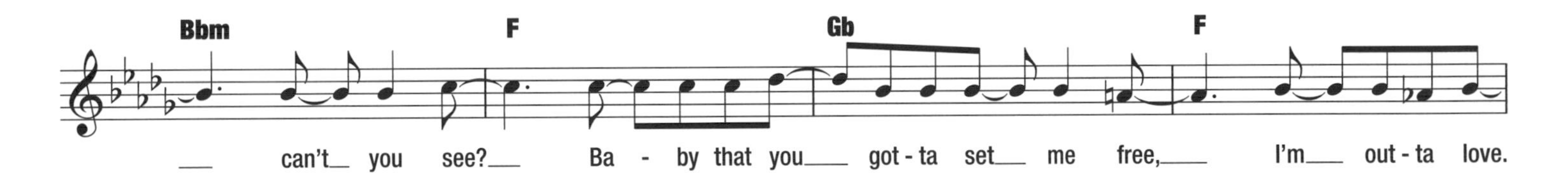

Bbm
F
Gb
F
can't you see? Ba - by that you got-ta set me free, I'm out-ta love.

Bbm
Yeah.
I'm out-ta love


## OUTRO

Bbm
F
Ab
Eb
set me free and let me out this mi - se - ry. Show me the way


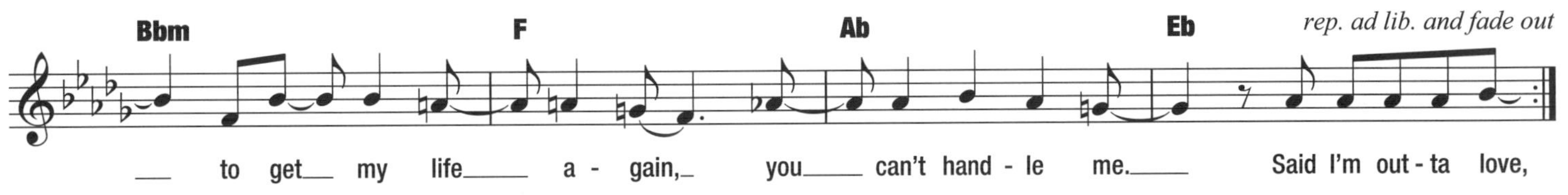

Bbm
F
Ab
Eb
rep. ad lib. and fade out
to get my life a - gain, you can't hand - le me. Said I'm out-ta love,

2

# TIME AFTER TIME

Words & Music by Cyndi Lauper
& Robert Hyman

CYNDI LAUPER

♩ = 130

## INTRO

F
G
Em
F

## VERSE 1

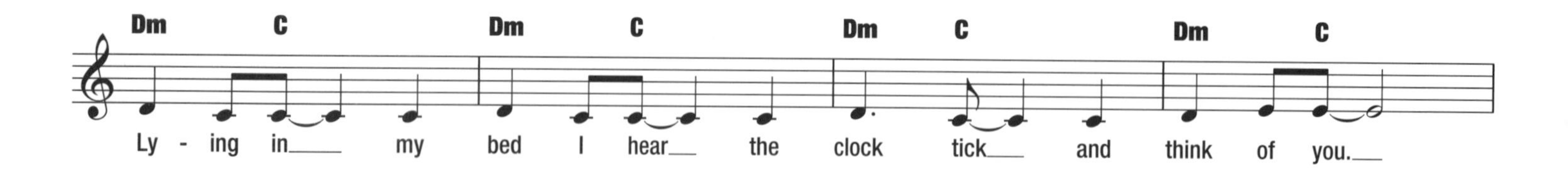
Dm C Dm C Dm C Dm C
Ly - ing in my bed I hear the clock tick and think of you.

Dm C Dm C Dm C Dm C
Caught up in cir - cles, con - fu - sion is noth - ing new.

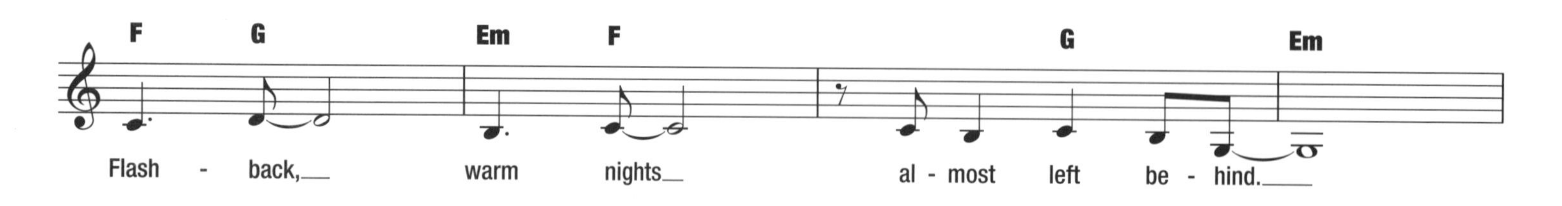
F G Em F G Em
Flash - back, warm nights al - most left be - hind.

F G Em F G
Suit - case of mem - o - ries, time af - ter...

## VERSE 2

Dm C Dm C Dm C Dm C
Some - times_ you pic - ture me,___ I'm walk - ing___ too far a - head._

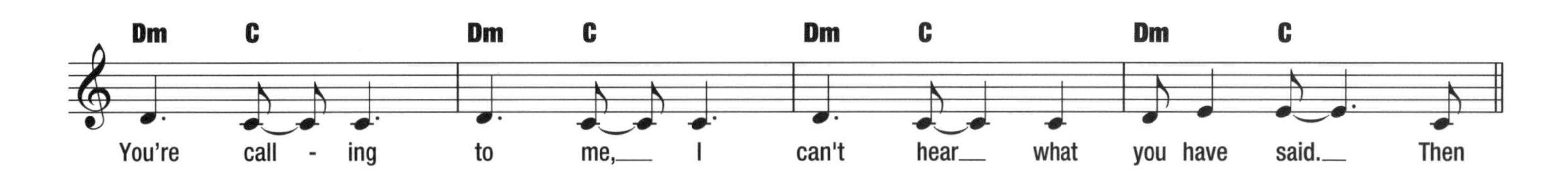
Dm C Dm C Dm C Dm C
You're call - ing to me,___ I can't hear__ what you have said.__ Then

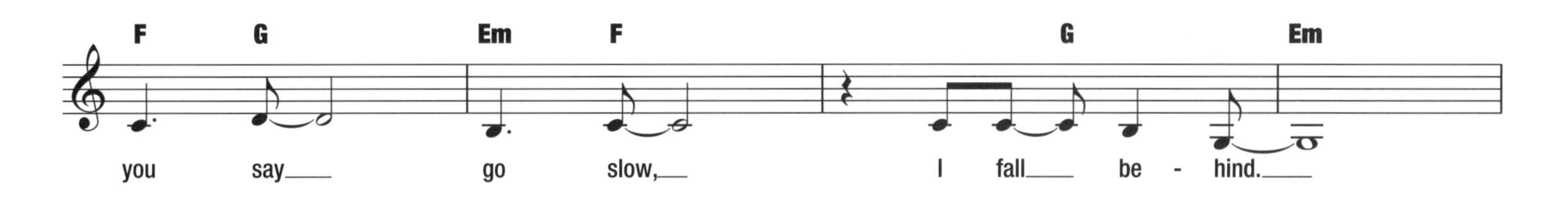
F G Em F G Em
you say___ go slow,__ I fall___ be - hind.____

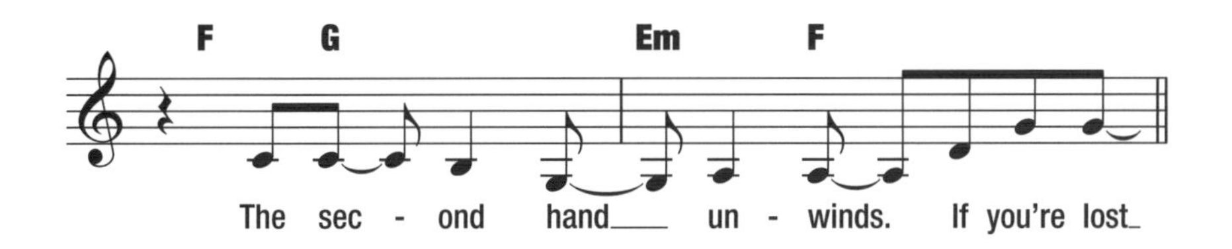
F G Em F
The sec - ond hand___ un - winds. If you're lost_

## CHORUS

G Am F G C
__ you can look__ and you will____ find me,___ time af - ter time.___ If you fall_

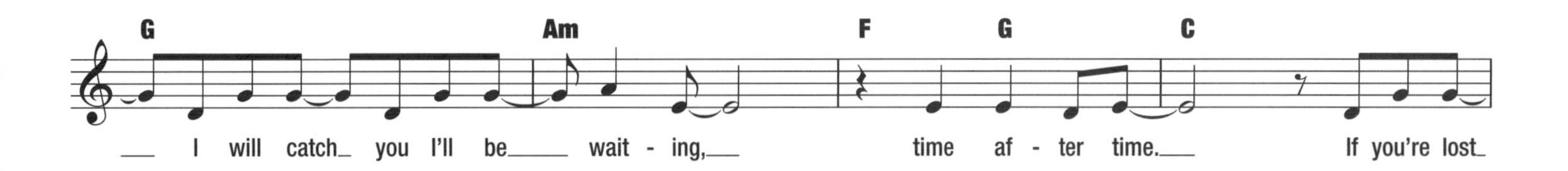
G Am F G C
__ I will catch_ you I'll be_____ wait - ing,___ time af - ter time.___ If you're lost_

G Am F G C
__ you can look__ and you will____ find me,___ time af - ter time.___ If you fall_

G Am F G C
__ I will catch_ you I_____ will be wait - ing, time af - ter time.___

## INSTR.

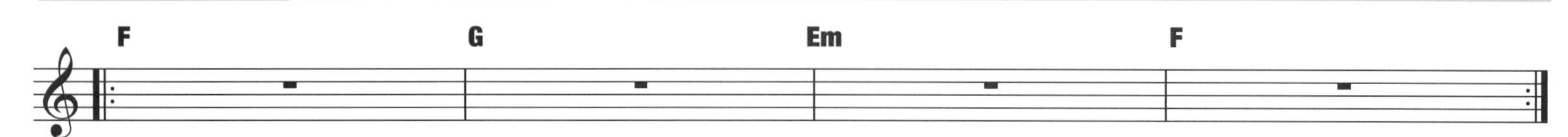
F G Em F

## VERSE 3

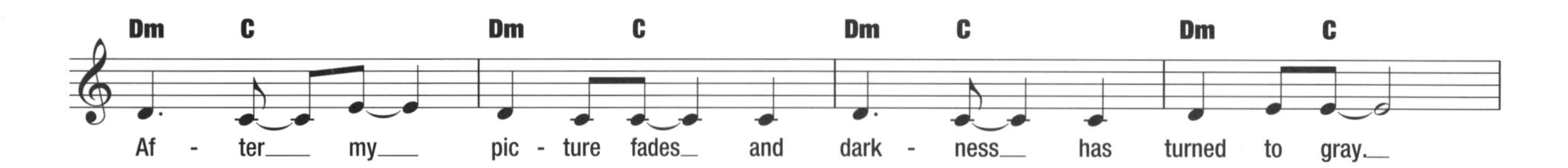
Dm C Dm C Dm C Dm C
Af - ter my pic - ture fades and dark - ness has turned to gray.

Dm C Dm C Dm C Dm C
Watch - ing through win - dows, you're won - der - ing if I'm o - k.

F G Em F G Em
Sec - rets sto - len from deep in - side,

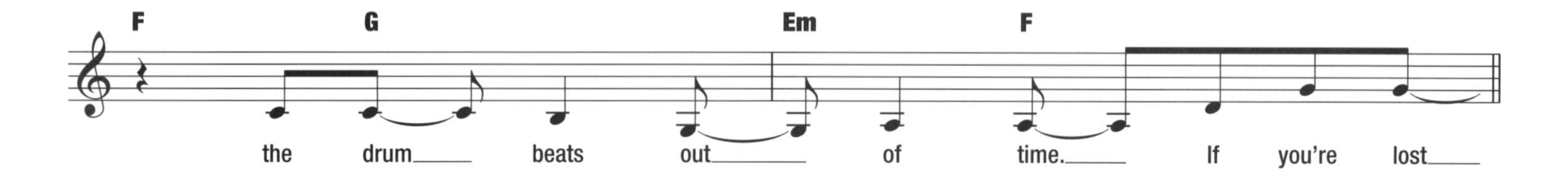
F G Em F
the drum beats out of time. If you're lost

## CHORUS

G Am F G C
you can look and you will find me, time af - ter time. If you fall

G Am F G C
I will catch you I'll be wait - ing, time af - ter time.

## INSTR.

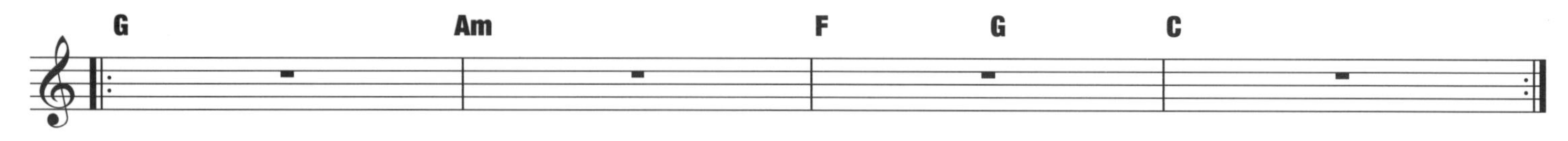
G Am F G C

## BRIDGE

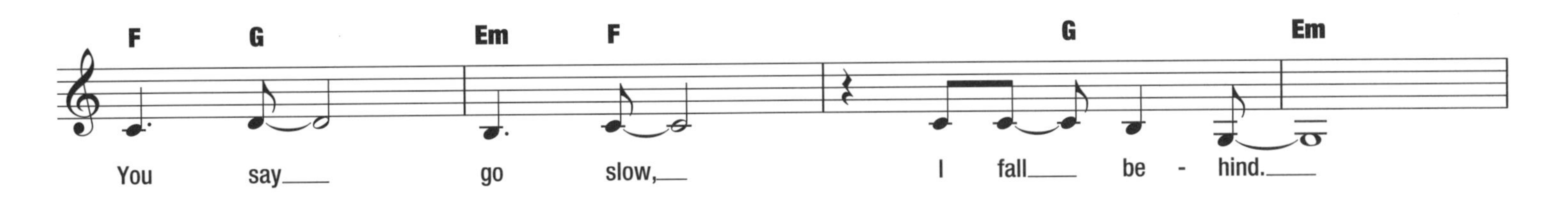
F G Em F G Em
You say go slow, I fall be - hind.

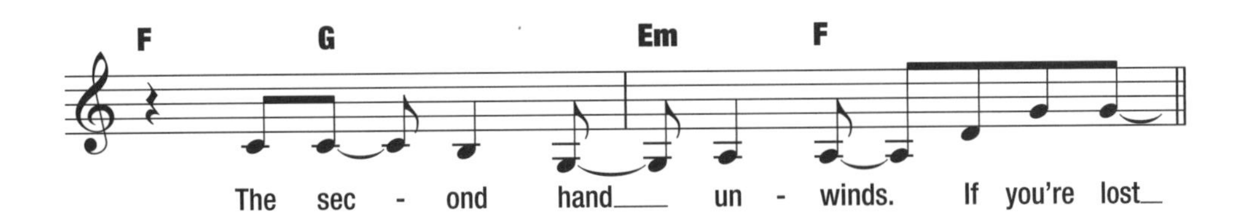
F G Em F
The sec - ond hand un - winds. If you're lost

## CHORUS

G Am F G C
you can look and you will find me, time af - ter time. If you fall

G Am F G C
I will catch you I'll be wait - ing, time af - ter time. If you're lost

G Am F G C
you can look and you will find me, time af - ter time. If you fall

G Am F G C
I will catch you I will be wait - ing, time af - ter time.

## OUTRO

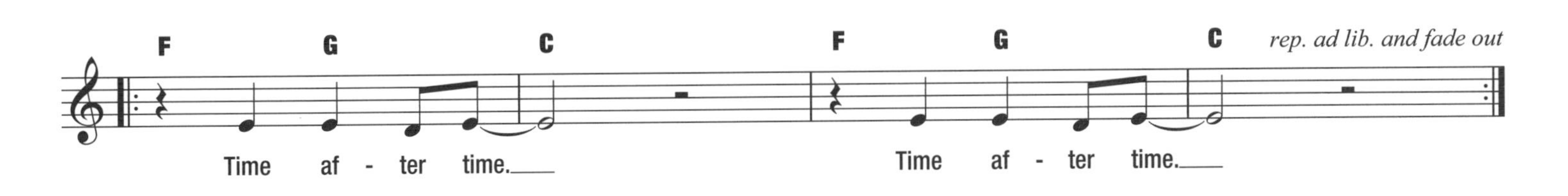
F G C F G C
rep. ad lib. and fade out
Time af - ter time. Time af - ter time.

3

# JUST LIKE A PILL

PINK

Words & Music by Alecia B. Moore
& Dallas Austin

♩ = 102

## INTRO

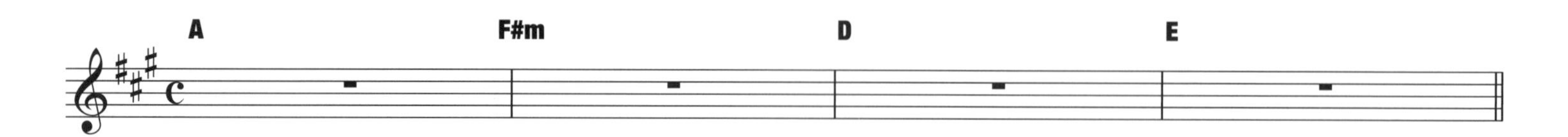
A
F#m
D
E

## VERSE 1

A
F#m
D
E
I'm ly - ing here___ on the floor where you left me,__ I think I took too much.

A
F#m
D
E
I'm cry - ing here,___ what have you done?___ I thought it would be fun.

## BRIDGE

D
E
D
E
I can't stay on your life__ sup-port, there's a shor-tage in the switch, I can't stay on your mor - phine, 'cause it's mak-ing me itch.

D
E
D
E
___ I said I tried to call__the nurse___a-gain_ but she's being a lit-tle bitch, I think I'll get out___of here. Where I can

## CHORUS

A F#m D E
run just as fast as I can___ to the mid-dle of no-where,___ to the mid-dle of my frus - tra-ted fears. And I

A F#m D E
swear you're just like a pill,___ in-stead of mak-ing me bet - ter, you keep mak-ing me ill,___ you keep mak-ing me ill.___

A F#m D E

## VERSE 2

A F#m D E
I have-n't moved from the spot where you left me,___ this must be a bad trip.

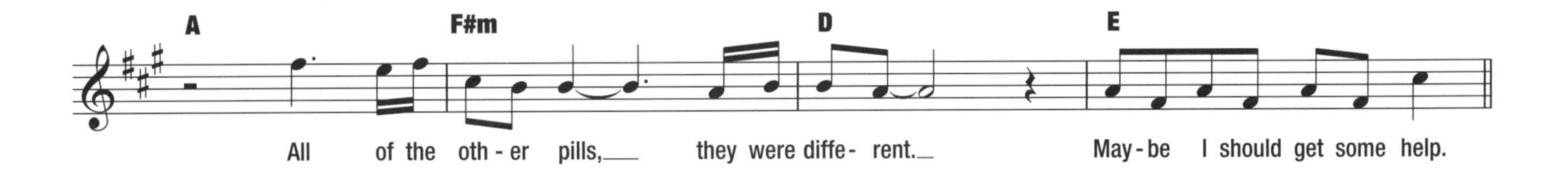
A F#m D E
All of the oth-er pills,___ they were diffe- rent.___ May-be I should get some help.

## BRIDGE

D E D E
I can't stay on your life___ sup-port, there's a shor-tage in the switch, I can't stay on your mor - phine, 'cause it's mak-ing me itch.

D E D E
___ I said I tried to call___ the nurse___ a-gain_ but she's being a lit-tle bitch, I think I'll get out___ of here. Where I can

## CHORUS

A
F#m
D
E


run just as fast as I can___ to the mid-dle of no-where,___ to the mid-dle of my frus - tra-ted fears. And I

A
F#m
D
E


swear you're just like a pill,___ in-stead of mak-ing me bet - ter, you keep mak-ing me ill,___ you keep mak-ing me ill.

## BRIDGE

D
E
D
E


I can't stay on your life___sup-port, there's a shor-tage in the switch, I can't stay on your mor - phine, 'cause it's mak-ing me itch.

D
E
D
E


___ I said I tried to call___the nurse___a-gain_ but she's being a lit-tle bitch, I think I'll get out___of here. Where I can

## CHORUS

A
F#m
D
E


run just as fast as I can___ to the mid-dle of no-where,___ to the mid-dle of my frus - tra-ted fears. And I

A
F#m
D
E
rep. ad lib. and fade out


swear you're just like a pill,___ in-stead of mak-ing me bet - ter, you keep mak-ing me ill,___ you keep mak-ing me ill.

Pink

4

IRONIC
ALANIS MORISSETTE

Words by Alanis Morissette
Music by Alanis Morissette & Glen Ballard

♩ = 85

## INTRO

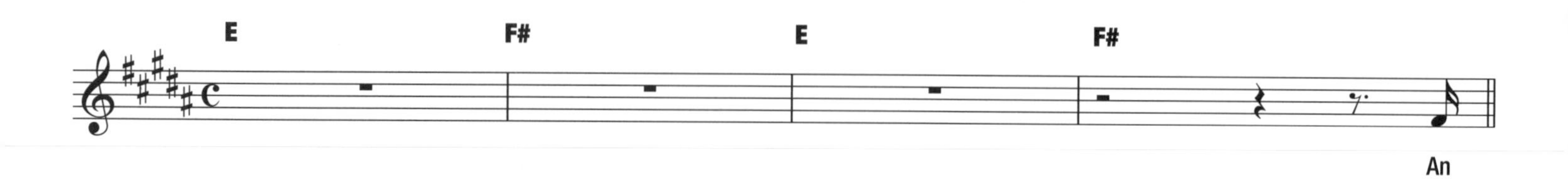
E
F#
E
F#
An

## VERSE 1

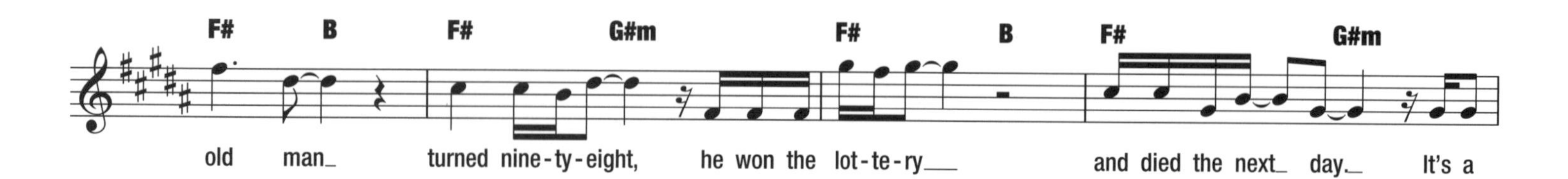
F# B F# G#m F# B F# G#m
old man_ turned nine-ty-eight, he won the lot-te-ry___ and died the next_ day._ It's a

F# B F# G#m F# B F# G#m
black fly___ in your char-don-nay._ It's a death row_ par-don two mi-nutes too__ late._ And is-n't it i-

F# B F# G#m
-ro- nic? Don't you think? It's like rain,____

## CHORUS

F# B F# G#m F# B F# G#m
on your wed-ding day. It's a free ride, when you've al-rea-dy paid. It's the good ad-vice,

F# B F# G#m A E F#
that you just did-n't take. And who would have thought it fi-gures. Mis-ter

## VERSE 2

F# B F# G#m F# B F# G#m
Play-It-Safe, was a-fraid to fly. He packed his suit - case and kissed his kids good-bye. He wai-ted his

F# B F# G#m F# B F# G#m
whole damn life to take that flight. And as the plane crashed down he thought: "Well is-n't this nice?". And is-n't it i

F# B F# G#m
-ro- nic? Don't you think? It's like rain,

## CHORUS

F# B F# G#m F# B F# G#m
on your wed-ding day. It's a free ride, when you've al-rea-dy paid. It's the good ad-vice,
F# B F# G#m A E F#
that you just did-n't take. And who would have thought it fi-gures.

## BRIDGE

E F#
Life has a fun-ny way of sneak-ing up on you when you think ev-'ry-thing's o-kay and
E F#
ev-'ry-thing's go-ing right. And
E F#
life has a fun-ny way of help-ing you out when you think ev-'ry-thing's gone wrong and
E
ev-'ry-thing blows up in your face. A

## VERSE 3

F# B F# G#m F# B F# G#m
traf-fic jam when you're al-rea-dy late. A "No smok - ing" sign on your ci-ga-rette break. It's like

F# B F# G#m F# B F# G#m
ten thou-sand spoons when all you need is a knife.
It's meeting the man of my dreams,
then meeting his beautiful wife.
And is-n't it i-

F# B F# G#m F# B F# G#m
-ro- nic? Don't you think? A lit-tle too i - ro- nic? And yeah, I real-ly do think. It's like rain

## CHORUS

F# B F# G#m F# B F# G#m
on your wed-ding day. It's a free ride, when you've al-rea-dy paid. It's the good ad-vice,

F# B F# G#m A E F#
that you just did - n't take. And who would have thought it fi - gures.

## OUTRO

E F# E F#
And yeah, life has a fun-ny way of sneak-ing up on you. And

E F# E
life has a fun-ny, fun-ny way of help-ing you out, help-ing you out.

Anastacia

Alanis Morissette

The WB

Cyndi Lauper

B*Witched

5

# BLAME IT ON THE WEATHERMAN

B*WITCHED

Words & Music by Martin Brannigan, Ray Hedges, Tracy Ackerman & Andy Caine

= 90

## INTRO

G
D
Am
C
It's just

## VERSE 1

G
Am
one more day,
no one said there would be rain again. Won't blame it on my-

C
G
self, yeah, I'll blame it on the wea-ther-man.
Get a-way

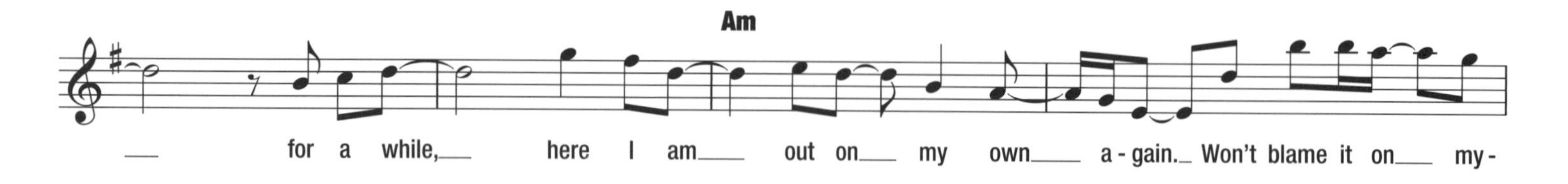
Am
for a while, here I am out on my own again. Won't blame it on my-

C
G
self, yeah, I'll blame it on the wea-ther-man. Stand-ing on the shore,

## BRIDGE

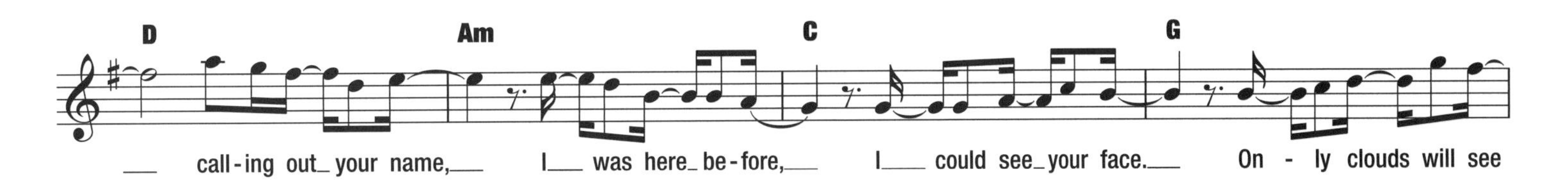

D
Am
C
G
__ call-ing out_ your name,__ I__ was here_ be-fore,__ I__ could see_ your face.__ On - ly clouds will see

D
Am
C
Am
__ tears are in__ my eyes,__ emp - ty like_ my heart,__ why did you say_ good-bye.__

C
The rain goes


## CHORUS

D
C
D
C
on (on__ and on a- gain). The rain goes on (on__ and on a- gain). The rain goes

D
C
on (on__ and on a - gain). A - lone


## VERSE 2

G
Am
__ I can hear,__ hear our__ song__ play-ing__ for me__ a - gain._ Won't blame it on__ my-
C
G
self, oh no,__ just blame it on the wea-ther-man.__ Stand - ing on__ the shore,

## BRIDGE

D
Am
C
G
call-ing out_ your name,_ I_ was here_ be-fore,_ I_ could see_ your face._ On - ly clouds will see

D
Am
C
Am
tears are in_ my eyes,_ emp - ty like_ my heart,_ why did you say_ good-bye._

C
The rain goes

## CHORUS

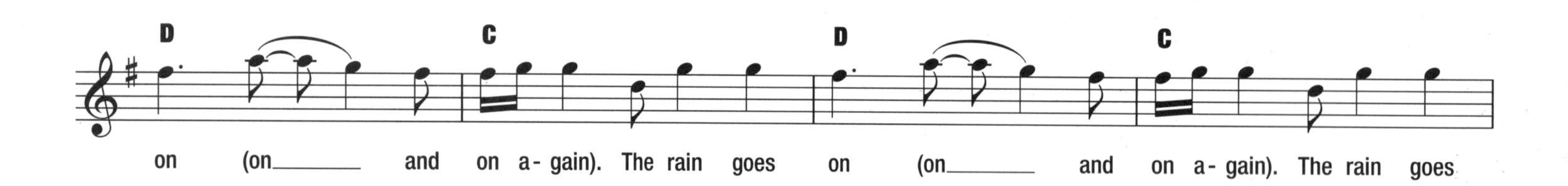
D
C
D
C
on (on_ and on a- gain). The rain goes on (on_ and on a- gain). The rain goes

D
C
on (on_ and on a-gain).

## BRIDGE 2

F
C
May-be it's__ too late._
May-be it's__ too late_ to try a-gain.
(Ah.)

F
Dm
Asus4
May-be I__ can't pray._
May-be I__ can't wait.
May-be I__ can't blame the wea-ther-man._

The rain goes

## CHORUS

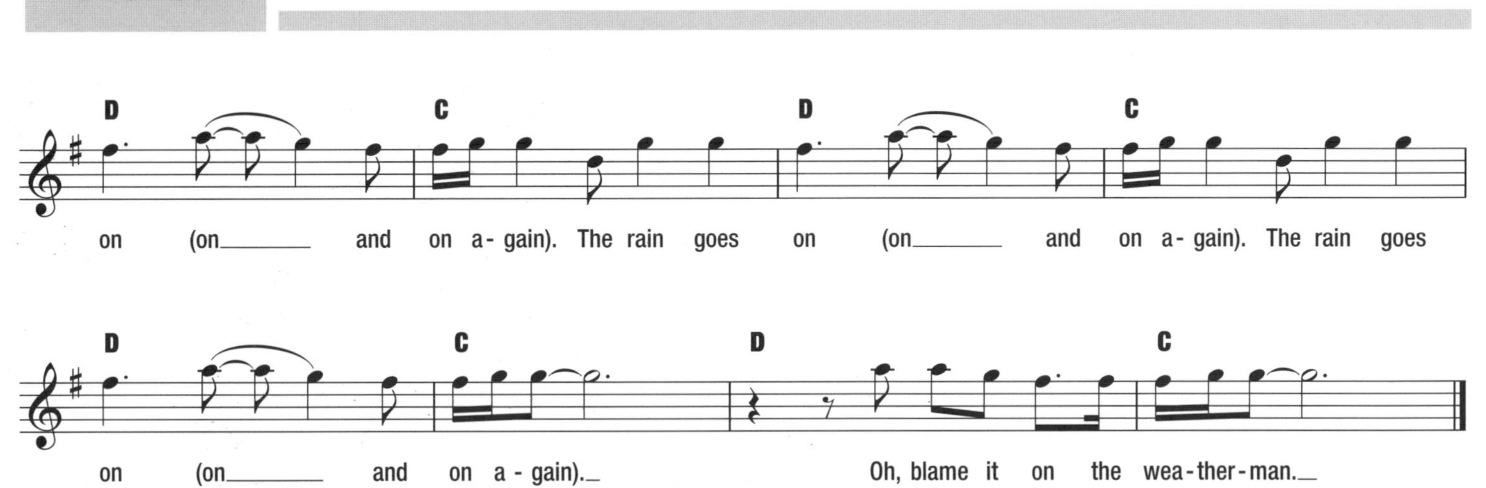
D
C
D
C
on (on__ and on a-gain). The rain goes on (on__ and on a-gain). The rain goes
D
C
D
C
on (on__ and on a-gain)._ Oh, blame it on the wea-ther-man._

6

# NOBODY'S HOME

AVRIL LAVIGNE

Words & Music by Avril Lavigne,
Don Gilmore & Ben Moody

♩ = 93

## INTRO

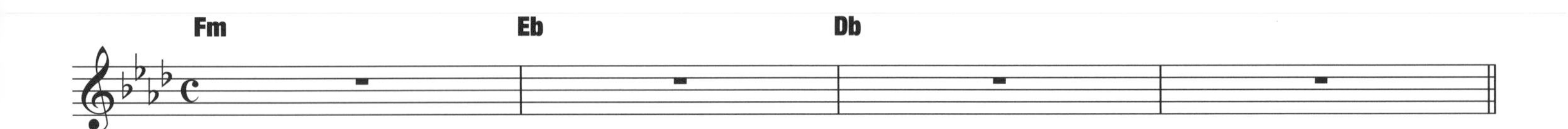
Fm
Eb
Db

## VERSE 1

Fm
Eb
Db
Well I could-n't tell___ you why she felt___ that way,___ she felt___ it ev - er - y day.

Fm
Eb
Db
___ And I could-n't help___ her, I just watched___ her make___ the same___ mis-takes a - gain.

Fm
Eb
Db
___What's wrong, what's wrong now? Too ma-ny, too ma-ny pro-blems. Don't know where she be-longs, where she be-longs.

## CHORUS

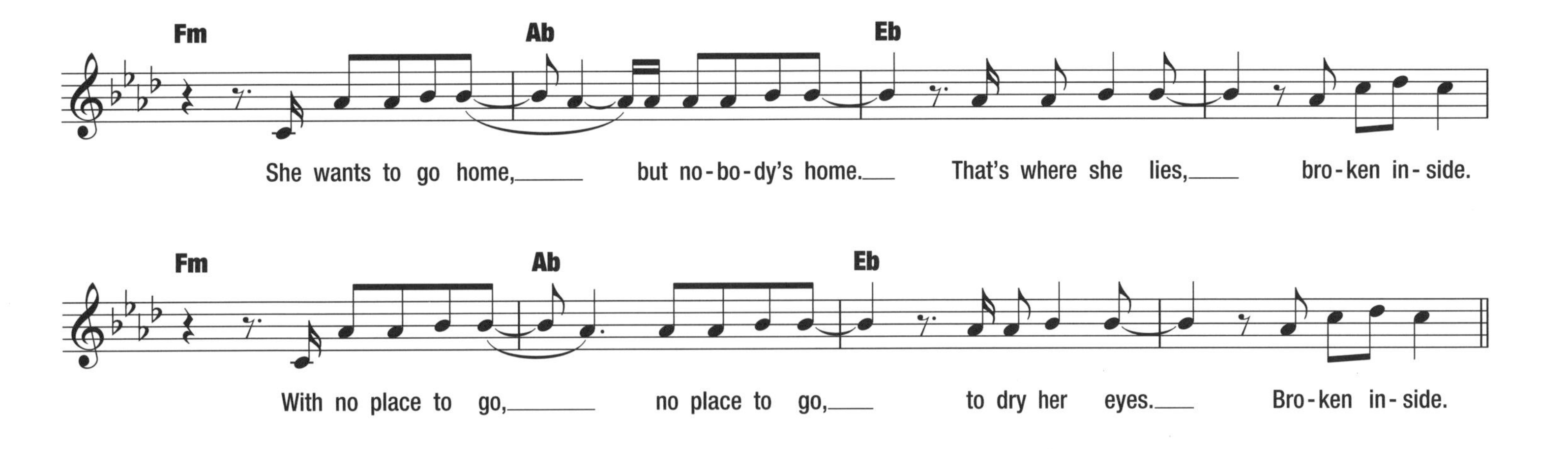
Fm
Ab
Eb
She wants to go home,___ but no-bo-dy's home.___ That's where she lies,___ bro-ken in-side.
Fm
Ab
Eb
With no place to go,___ no place to go,___ to dry her eyes.___ Bro-ken in-side.

## VERSE 2

Fm
Eb
Db
O - pen your eyes___ and look___ out - side,___ find___ the rea - sons why.___
Fm
Eb
Db
___ You've been re - jec - ted, and now you___ can't find___ what___ you've left be - hind.
Fm
Eb
Db
___ Be strong, be strong now. Too ma-ny, too ma-ny pro-blems. Don't know where she be-longs, where she be-longs.

## CHORUS

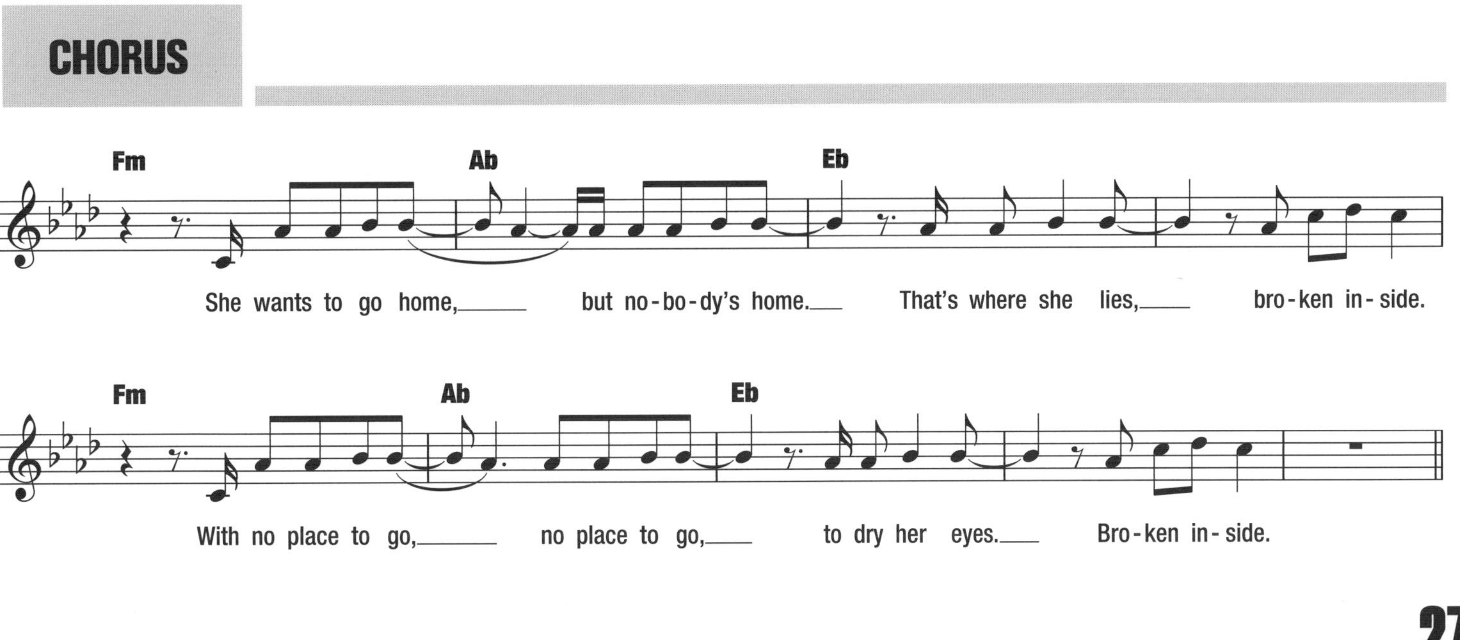
Fm
Ab
Eb
She wants to go home,___ but no-bo-dy's home.___ That's where she lies,___ bro-ken in-side.
Fm
Ab
Eb
With no place to go,___ no place to go,___ to dry her eyes.___ Bro-ken in-side.

## BRIDGE

Fm
Eb
Db
Her feel - ings she hides. Her dreams she can't find. She's los - ing her mind. She's fall - en be - hind.

Fm
Eb
Db
She can't find her place. She's los - ing her faith. She's fall - ing from grace. She's all o - ver the place.

Yeah.


## CHORUS

Fm
Ab
Eb
She wants to go home, but no-bo-dy's home. That's where she lies, bro-ken in-side.

Fm
Ab
Eb
With no place to go, no place to go, to dry her eyes. Bro-ken in-side.


## OUTRO

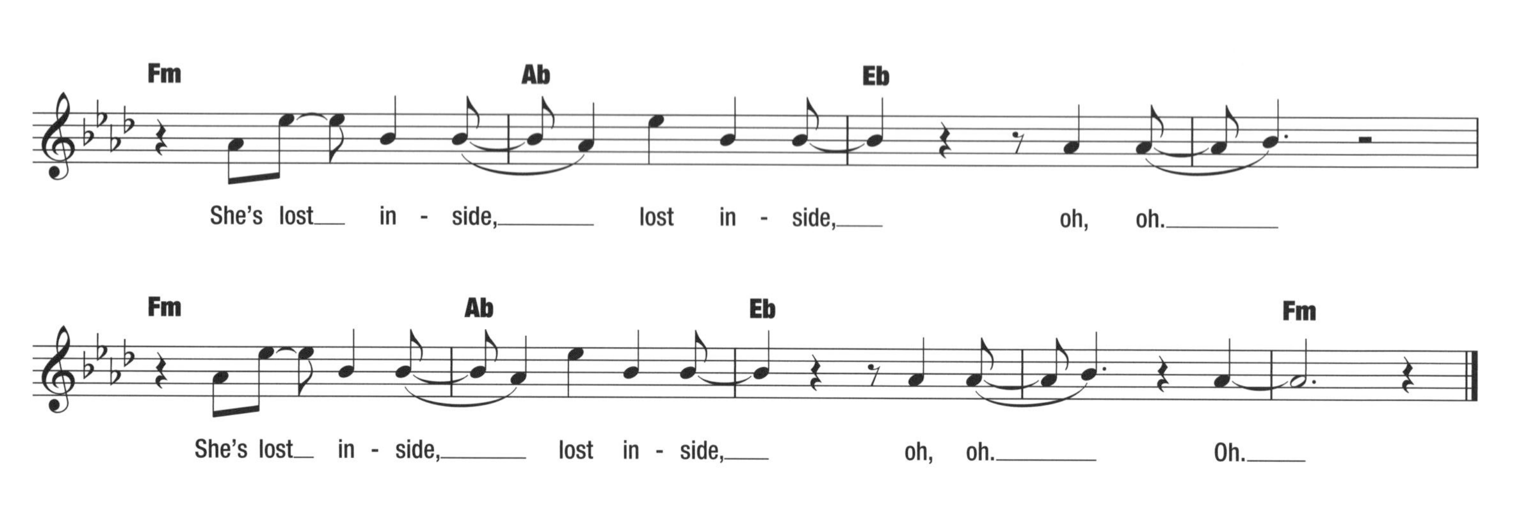

Fm
Ab
Eb
She's lost in - side, lost in - side, oh, oh.
Fm
Ab
Eb
Fm
She's lost in - side, lost in - side, oh, oh. Oh.

Avril Lavigne

7

WHAT'S UP

4 NON BLONDES

Words & Music by Linda Perry

= 66

## INTRO

A
Bm

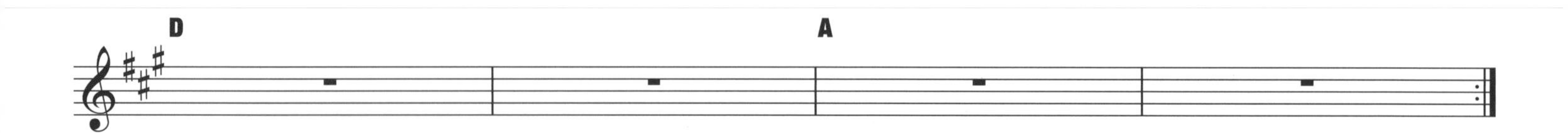
D
A

## VERSE 1

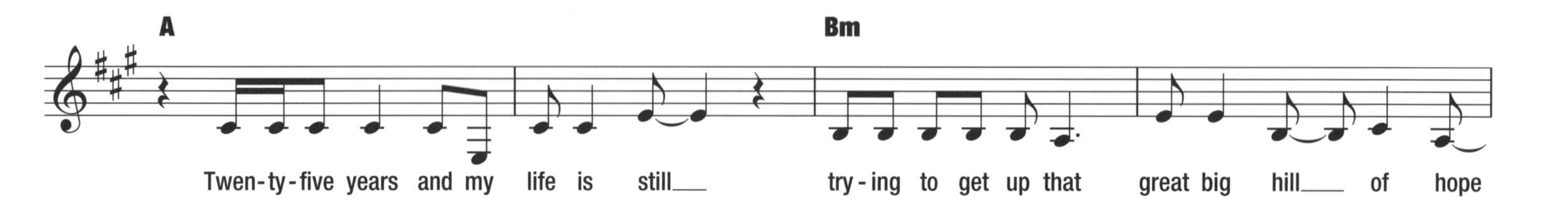
A
Bm
Twen-ty-five years and my life is still___ try-ing to get up that great big hill___ of hope

D
A
___ for a des - ti - na - tion. I

Bm
re - a-lised quick - ly when I knew I should that the world___ was made up for this broth-er - hood___ of man,

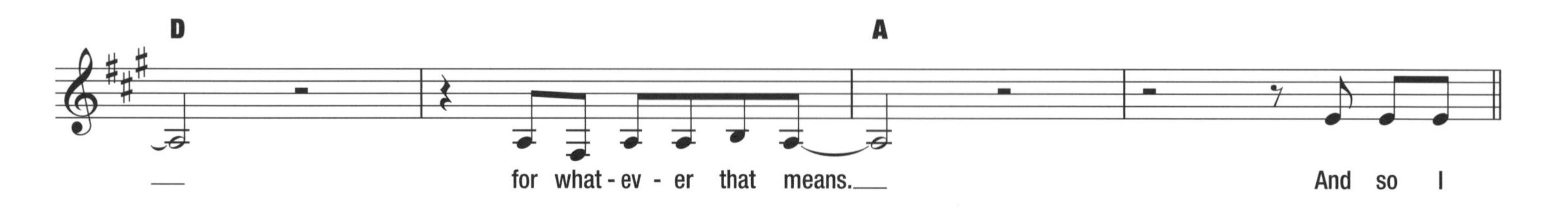
D
A
___ for what - ev - er that means.___ And so I

## BRIDGE

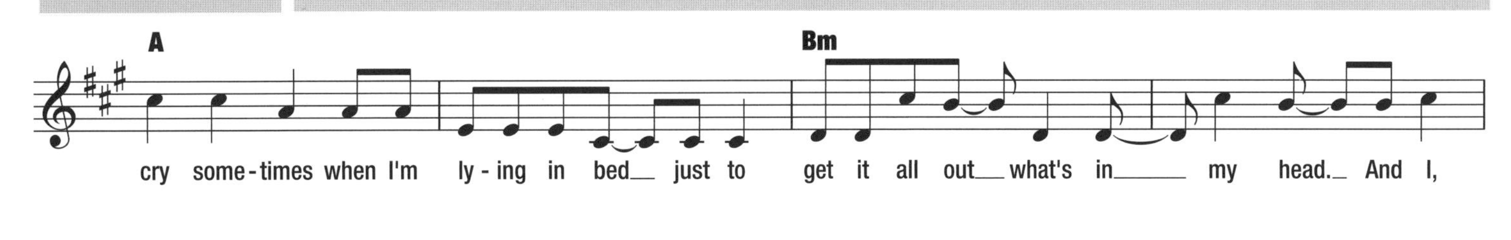
A
Bm
cry some-times when I'm ly-ing in bed__ just to get it all out__ what's in____ my head.__ And I,

D
A
I am feel-ing a lit-tle pe-cu - liar. And so I

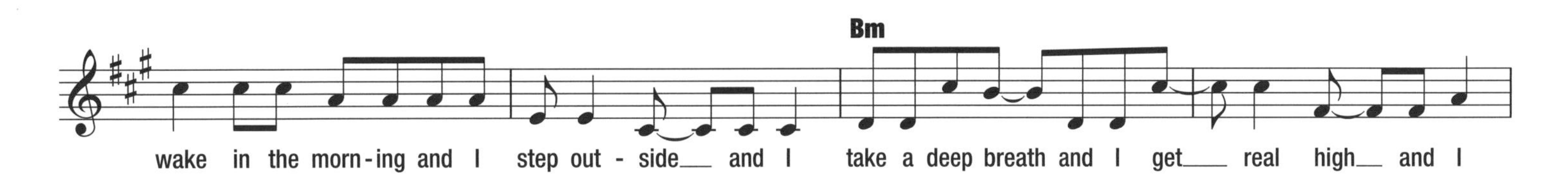
Bm
wake in the morn-ing and I step out - side__ and I take a deep breath and I get__ real high__ and I

D
A
scream from the top of my lungs__ what's go-ing on.____ And I____ sing

## CHORUS

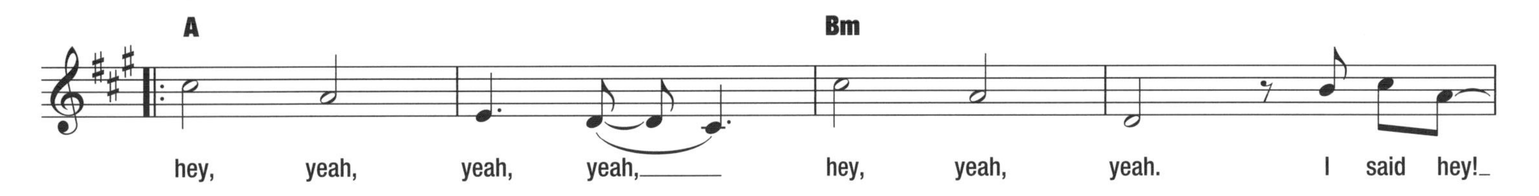
A
Bm
hey, yeah, yeah, yeah,____ hey, yeah, yeah. I said hey!_

D
A
__ what's go - ing on.____ And I____ sing
(2. x tacet)

## INTERLUDE

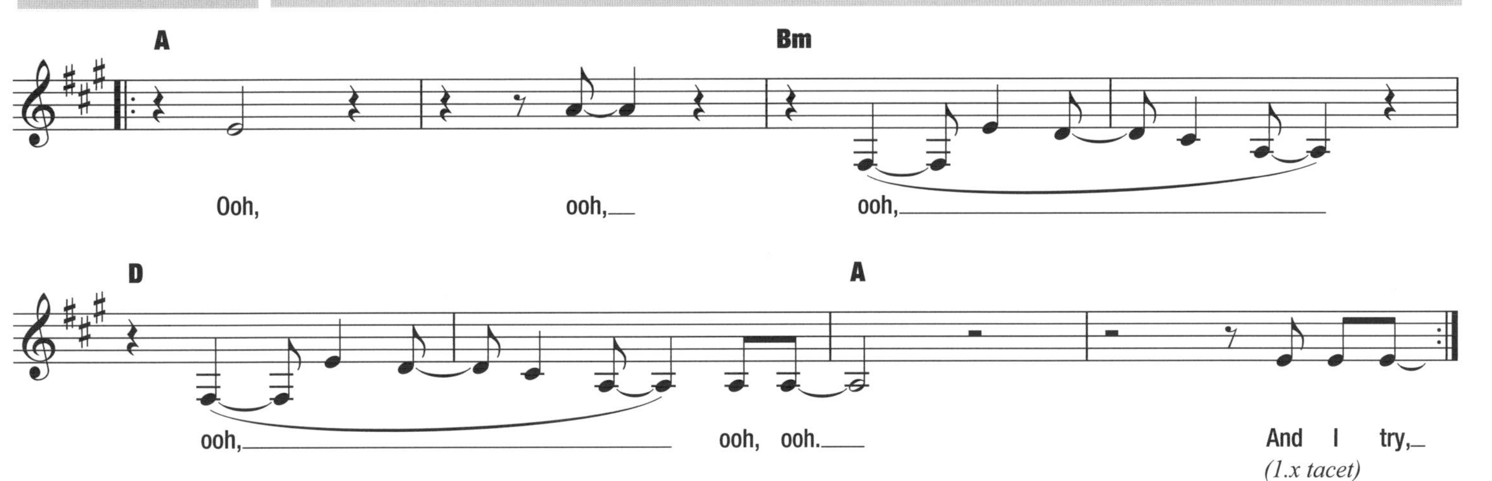
A
Bm
Ooh, ooh,__ ooh,____
D
A
ooh,____ ooh, ooh.___ And I try,_
(1.x tacet)

VERSE 2
A
Bm
oh my God do I try, I try all the time
D
A
in this in - sti - tu - tion. And I pray,
Bm
oh my God do I pray, I pray ev - 'ry sin - gle day
D
A
for a re - vo - lu - tion. And so I
BRIDGE
A
Bm
cry some - times when I'm ly - ing in bed just to get it all out what's in my head. And I,
D
A
I am feel - ing a lit - tle pe - cu - liar. And so I
Bm
wake in the morn - ing and I step out - side and I take a deep breath and I get real high and I
D
A
scream from the top of my lungs what's go - ing on. And I sing

## CHORUS

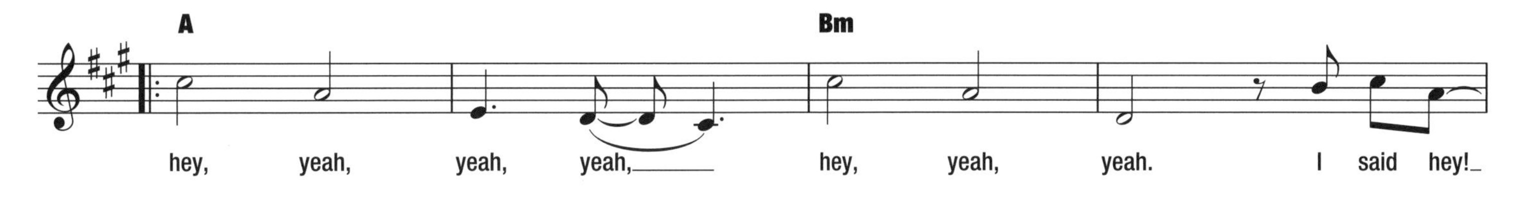
A
Bm
hey, yeah, yeah, yeah,
hey, yeah, yeah. I said hey!

D
A
(rep. 4x)
what's go - ing on.
And I sing
(last time tacet)

## OUTRO

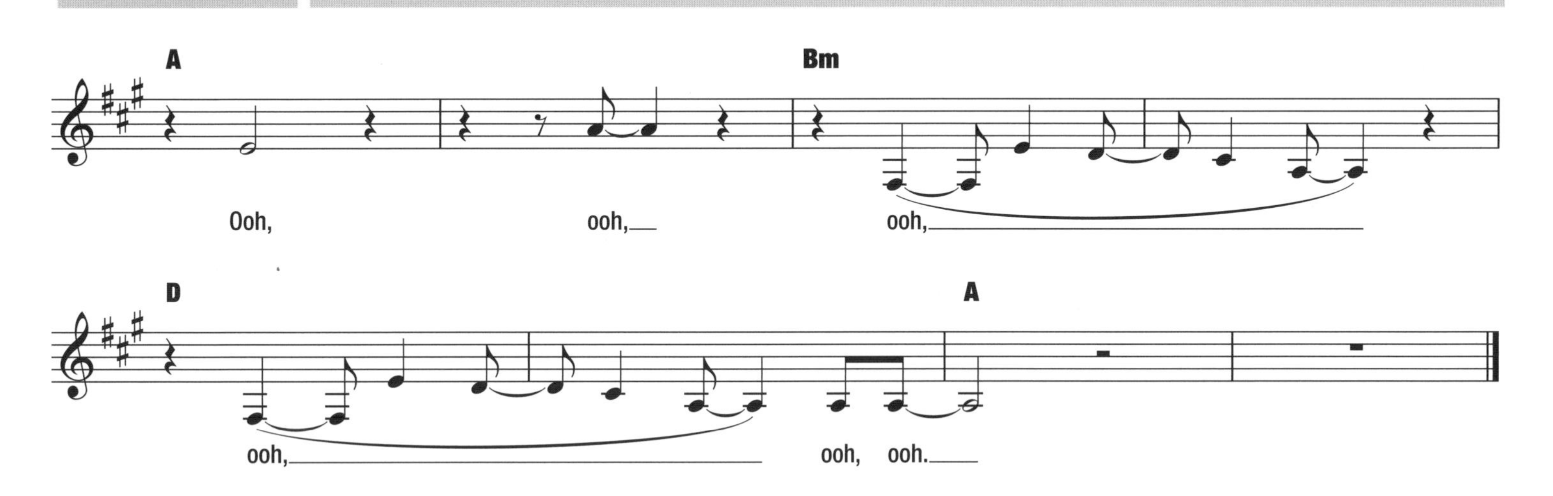
A
Bm
Ooh, ooh, ooh,
D
A
ooh, ooh, ooh.

8

# SEE YOU SOON

LOOSAVANNA

Words & Music by Marie Frevert,
Anke Orschinack, Katja Panser,
Benno Frevert & Elisabeth Schmidt

♩ = 126

## INTRO

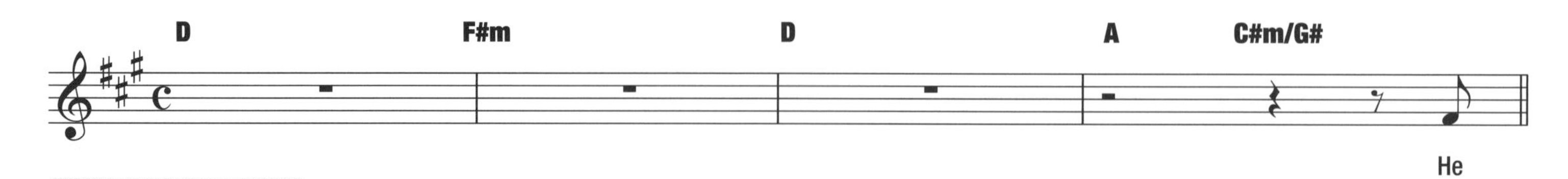
D F#m D A C#m/G#
He

## VERSE 1

D F#m D A C#m/G#
hides his dis-ap-poin-ted hopes be-hind a smile and says: It's just fine. He

D F#m D A C#m/G#
should have said: For you, yeah, for you I walk thou-sands of miles. Just

F#m A
want you to be mine. Her

## VERSE 2

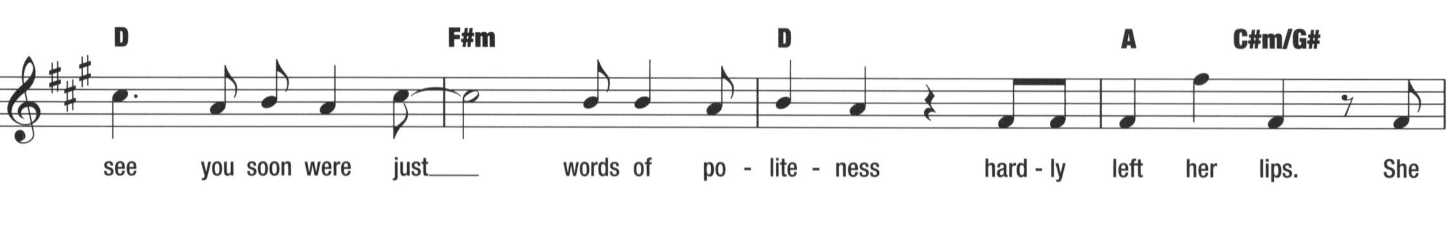
D F#m D A C#m/G#
see you soon were just words of po-lite-ness hard-ly left her lips. She

D F#m D A C#m/G#
shuts the door leav-ing ruins, ru-ins of kind-ness, she left him mind-less.

## BRIDGE

F#m A F#m A
Go - ing on shak - ing her hips.
Go - ing on shak - ing her hips.

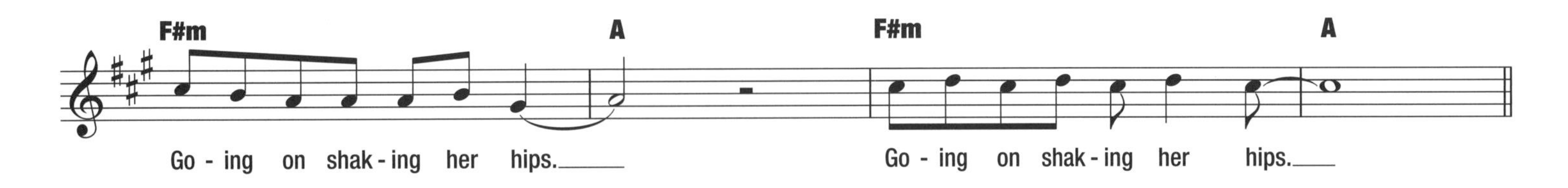
F#m A F#m A
Go - ing on shak - ing her hips.
Go - ing on shak - ing her hips.

## CHORUS

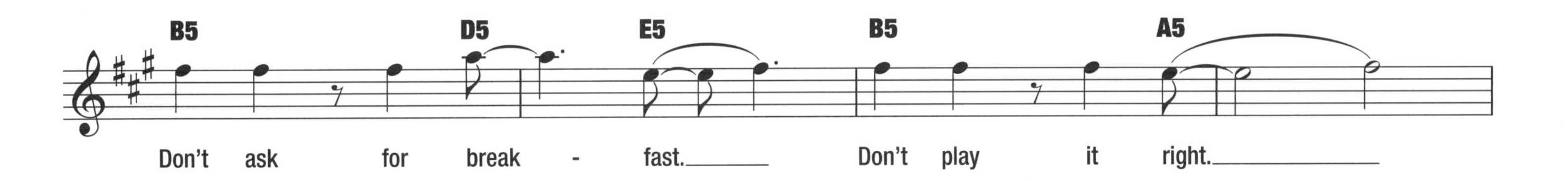
B5 D5 E5 B5 A5
Don't ask for break - fast.
Don't play it right.

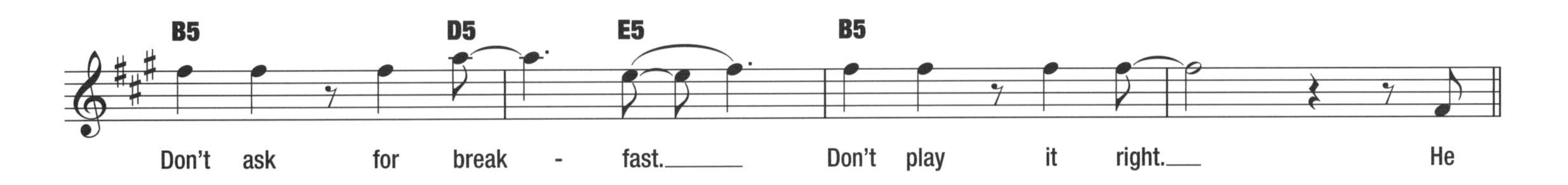
B5 D5 E5 B5
Don't ask for break - fast.
Don't play it right.
He

## VERSE 3

D F#m D A C#m/G#
sees the skill - full way she moves,
it hurts im - me - diate - ly. But he can't stop i -

D F#m D A C#m/G#
-ma - gin - ing her smil - ing face,
he turns a - way, he knows he can on - ly lose.
This

F#m A
girl will al - ways be up.
She

## VERSE 4

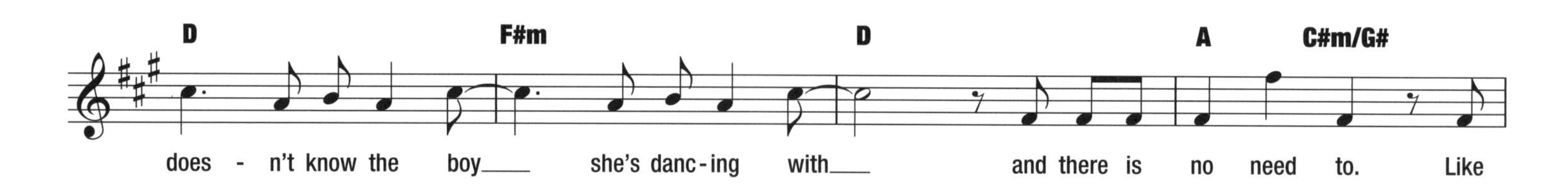
D F#m D A C#m/G#
does - n't know the boy___ she's danc-ing with___ and there is no need to. Like

D F#m D A C#m/G#
ev - 'ry time she takes him with her. The end of the night_ will start with a kiss.

## BRIDGE

F#m A F#m A
End - ing with her see you soon.___ End - ing with her see you soon.___

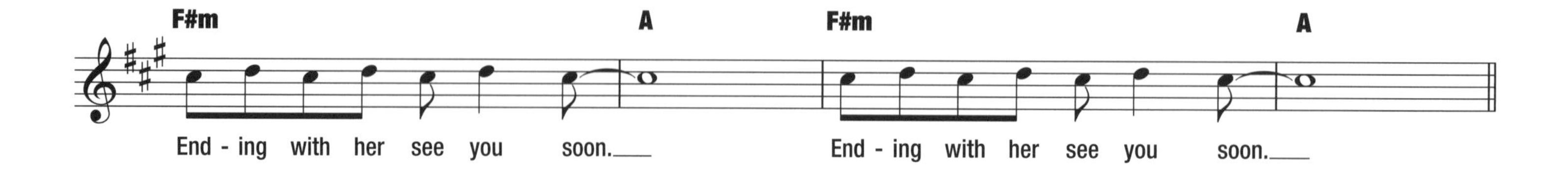
F#m A F#m A
End - ing with her see you soon.___ End - ing with her see you soon.___

## CHORUS

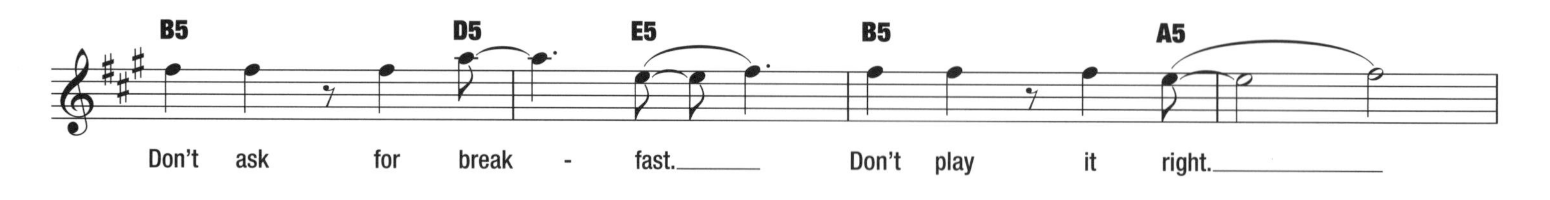
B5 D5 E5 B5 A5
Don't ask for break - fast.___ Don't play it right.___

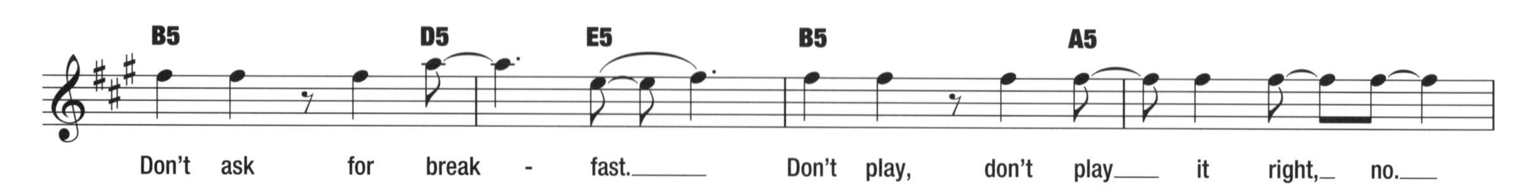
B5 D5 E5 B5 A5
Don't ask for break - fast.___ Don't play, don't play___ it right,_ no.___

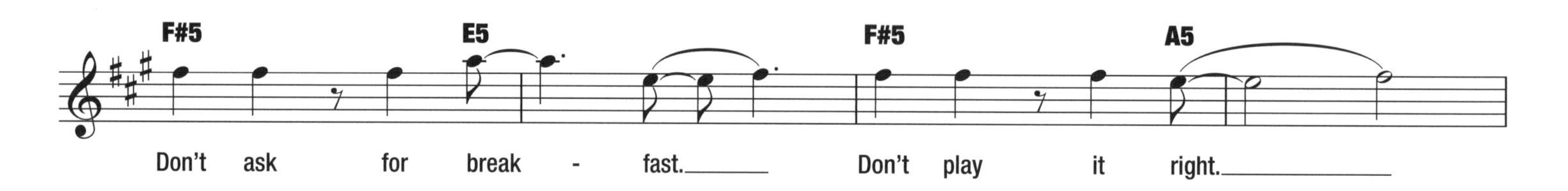
F#5 E5 F#5 A5
Don't ask for break - fast.___ Don't play it right.___

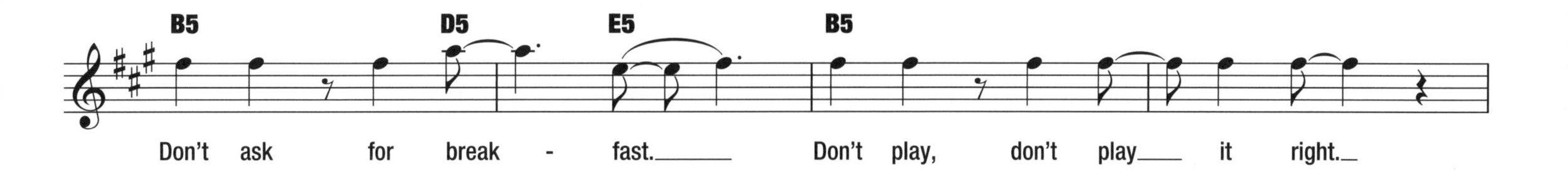
B5 D5 E5 B5
Don't ask for break - fast.
Don't play, don't play it right.

## INSTR. BREAK

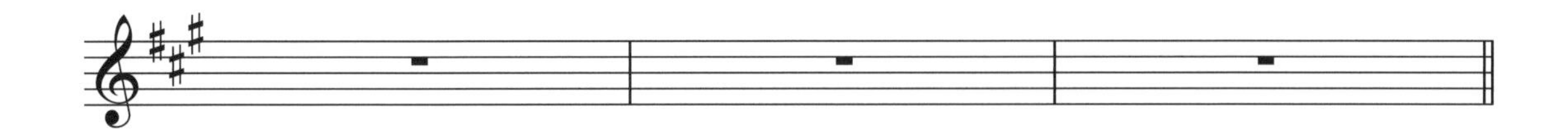

## CHORUS

B5 D5 E5 B5 A5
Don't ask for break - fast.
Don't play it right.

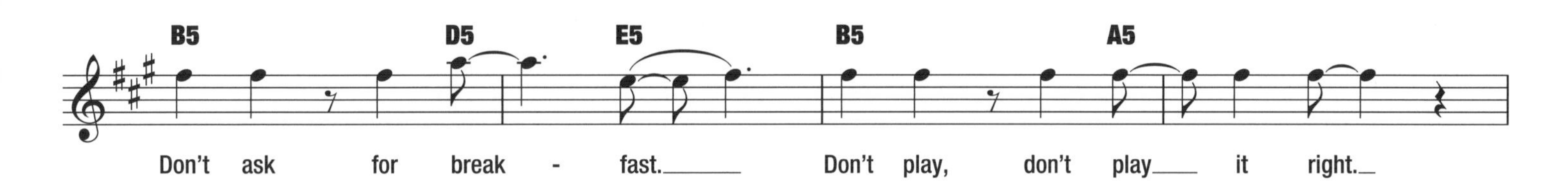
B5 D5 E5 B5 A5
Don't ask for break - fast.
Don't play, don't play it right.

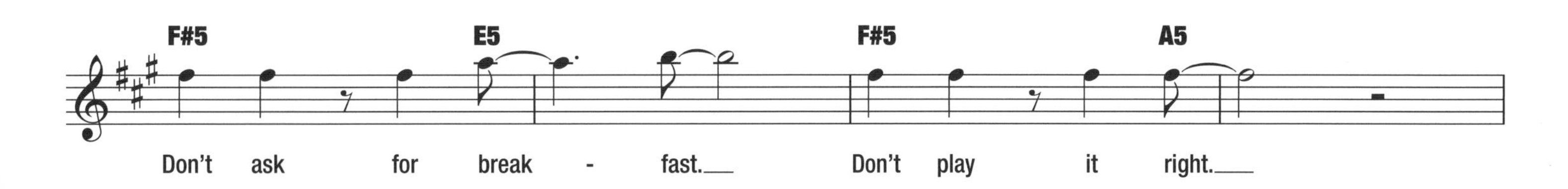
F#5 E5 F#5 A5
Don't ask for break - fast.
Don't play it right.

B5 D5 E5 B5
Don't ask for break - fast.
Don't play, don't play it right.

4 Non Blondes

Meredith Brooks

Blondie

Loosavanna

9

CALL ME

BLONDIE

Words & Music by Giorgio Moroder
& Deborah Harry

♩ = 142.5

## INTRO

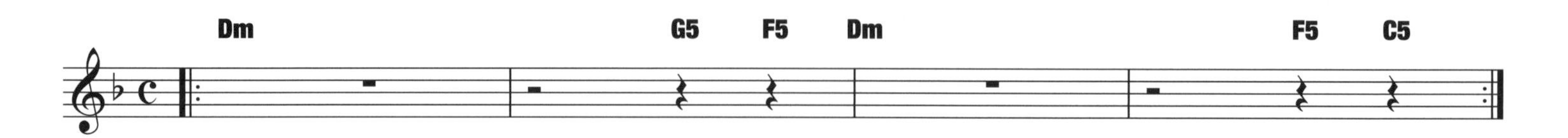
Dm
G5
F5
Dm
F5
C5

## VERSE 1

Dm
Bb
Co - lour me your co - lour, ba - by, co - lour me your car.

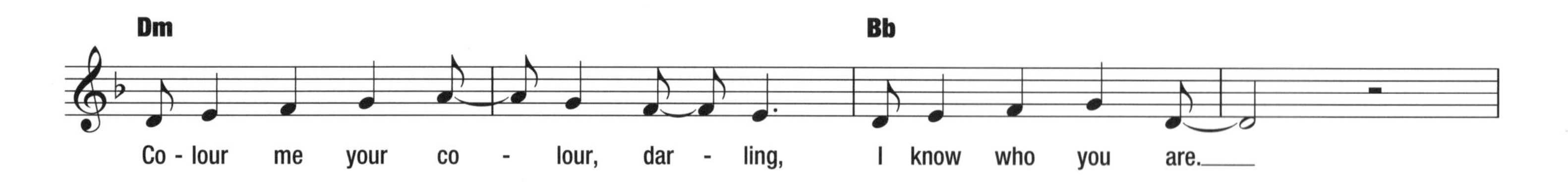
Dm
Bb
Co - lour me your co - lour, dar - ling, I know who you are.

Gm
A
Gm
A
Come up off your co - lour chart, I know where you're com - ing from. Call me

## CHORUS

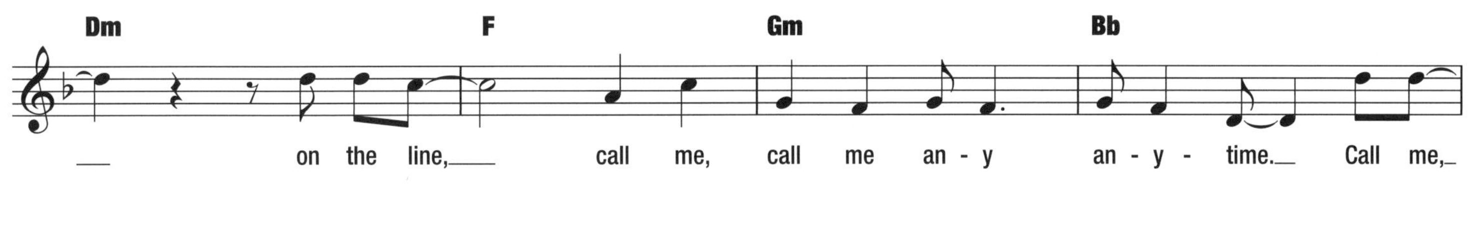
Dm F Gm Bb
on the line, call me, call me an - y an - y - time. Call me,

Dm F Gm Bb
my love, you can call me an - y day or night, call

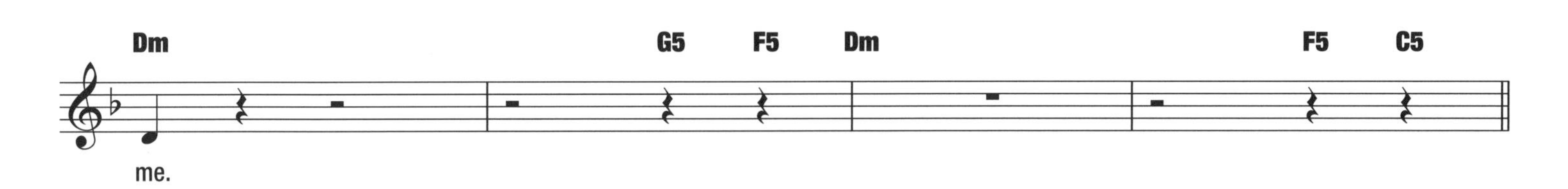
Dm G5 F5 Dm F5 C5
me.

## VERSE 2

Dm Bb
Cov - er me with kis - ses, ba - by, co - ver me with love.

Dm Bb
Roll me in de - sig - ner sheets, I'll nev - er get e- nough. E - mo-

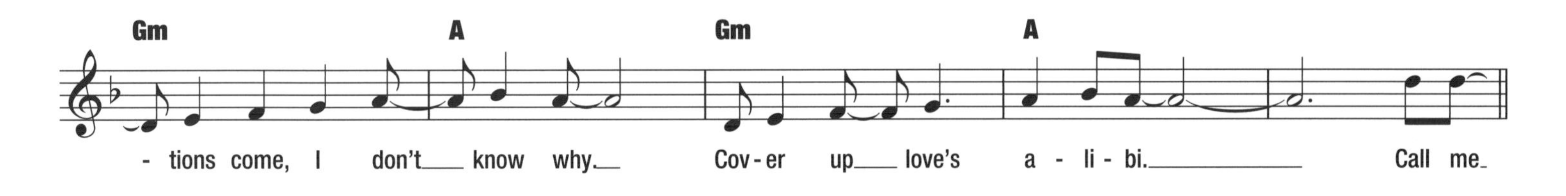
Gm A Gm A
- tions come, I don't know why. Cov - er up love's a - li - bi. Call me

## CHORUS

Dm F Gm Bb
on the line, call me, call me an - y an - y - time. Call me,
Dm F Gm Bb
oh my love, when you're read - y we can share the wine. Call
Dm G5 F5 Em A5 G5
me.
BRIDGE
Em Bm
Ooh, ooh, he speaks the lan - gua - ges of love.

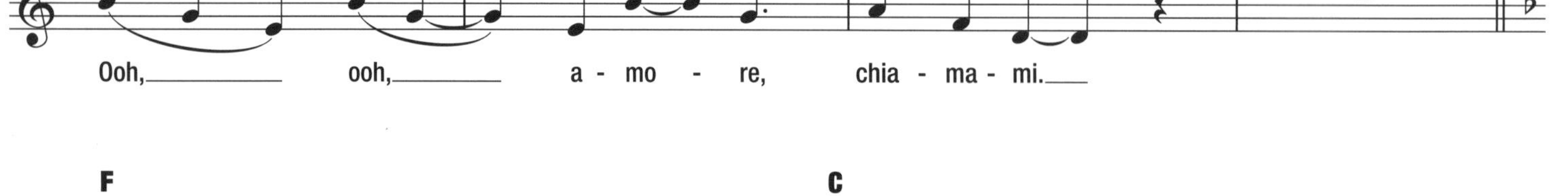
Em Bm
Ooh, ooh, a - mo - re, chia - ma - mi.

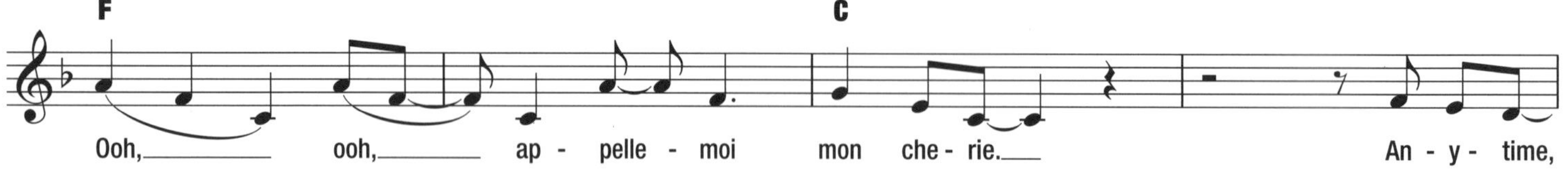
F C
Ooh, ooh, ap - pelle - moi mon che - rie. An - y - time,

Dm Bb
an - y - place, an - y - where, an - y - way. An - y - time,

Gm A
an - y - place, an - y - where, an - y day, an - y - way.

## INSTR.

Em Bm

Em Bm

F C

Dm Bb

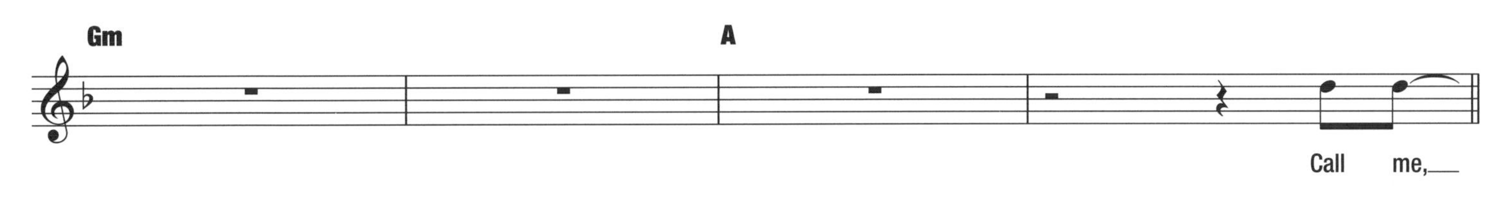

Gm
A
Call me,


## CHORUS

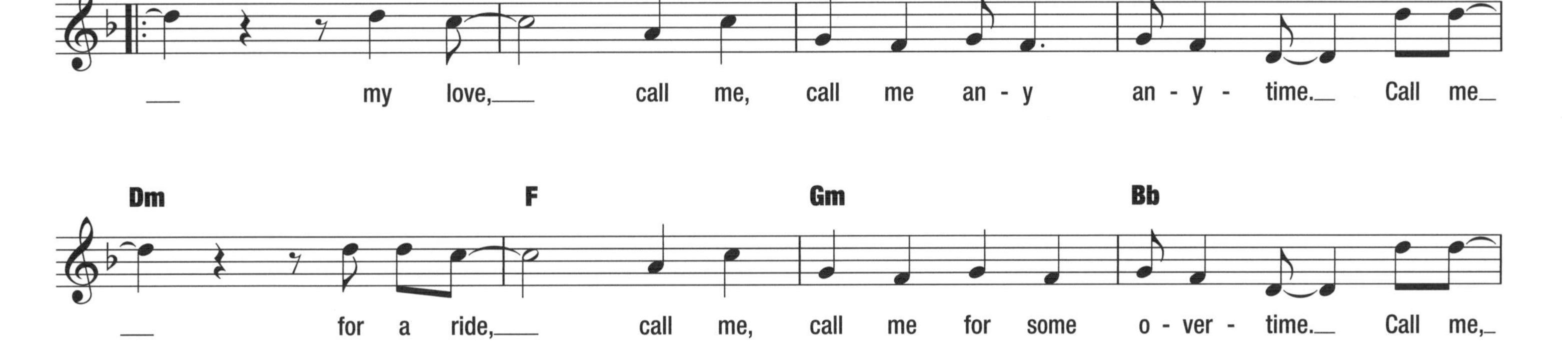

Dm F Gm Bb
my love, call me, call me an - y an - y - time. Call me
Dm F Gm Bb
for a ride, call me, call me for some o - ver - time. Call me,


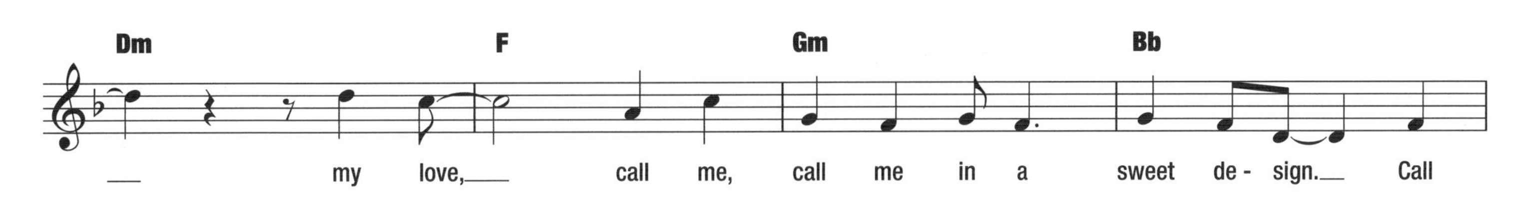

Dm F Gm Bb
my love, call me, call me in a sweet de - sign. Call


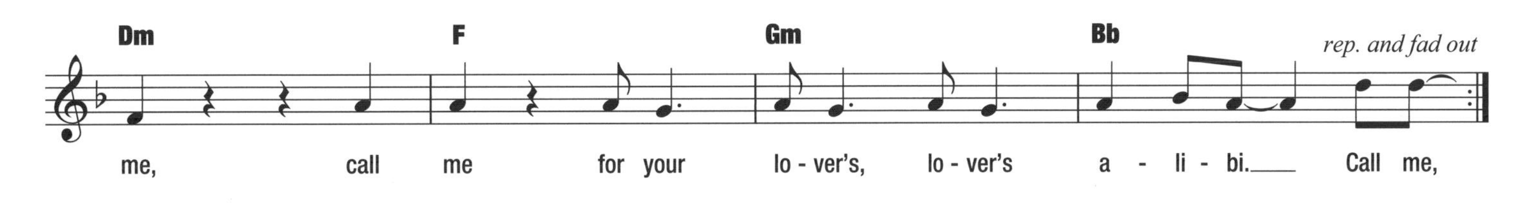

Dm F Gm Bb
rep. and fad out
me, call me for your lo - ver's, lo - ver's a - li - bi. Call me,

10

# BITCH

## MEREDITH BROOKS

Words & Music by Shelly Peiken
& Meredith Brooks

♩ = 96.5

## INTRO

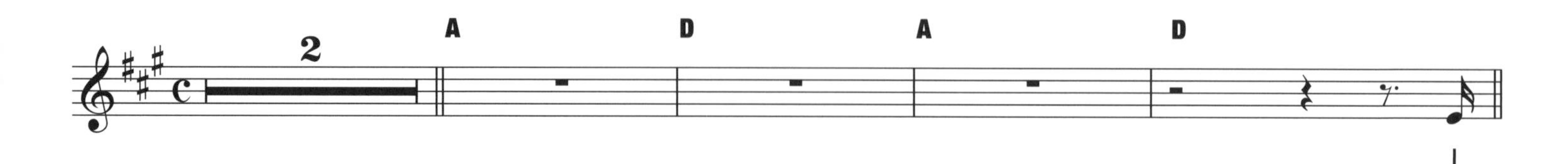
2
A
D
A
D
I

## VERSE 1

A
D
A
D
hate the world to-day._ You're so good to me,_ I know__ but I__can't change. Tried to tell_you but_you

F#m
B
D
look at me_ like may-be I'm an an - gel un - der-neath, in-no - cent and_sweet.

A
D
A
D
Yes-ter-day_ I cried, you must have been re-lieved to see__ the sof - ter side. I can un - der-stand_how

F#m
B
D
you'd be so__ con-fused, I don't en - vy you._ I'm a lit-tle bit__ of ev - 'ry-thing, all rolled in-to one. I'm a

## CHORUS

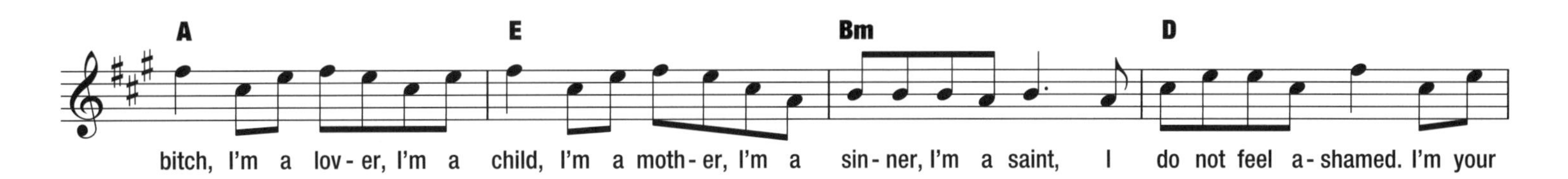
A
E
Bm
D
bitch, I'm a lov - er, I'm a child, I'm a moth - er, I'm a sin - ner, I'm a saint, I do not feel a - shamed. I'm your

A
E
F#m
D
hell, I'm your dream, I'm noth - ing in be - tween, you know you would - n't want it an - y oth - er way._ So

## VERSE 2

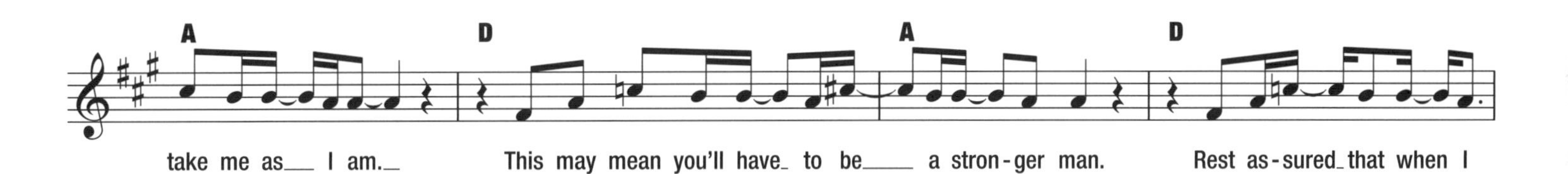
A
D
A
D
take me as__ I am._ This may mean you'll have_ to be___ a stron - ger man. Rest as - sured_ that when I

F#m B D

start to make_ you ner - vous and I'm go - ing to___ ex - tremes. To - mor - row I___ will change and to - day won't mean a thing. I'm a

## CHORUS

A
E
Bm
D
bitch, I'm a lov - er, I'm a child, I'm a moth - er, I'm a sin - ner, I'm a saint, I do not feel a - shamed. I'm your

A
E
F#m
D
hell, I'm your dream, I'm noth - ing in be - tween, you know you would - n't want it an - y oth - er way._

## INSTR.

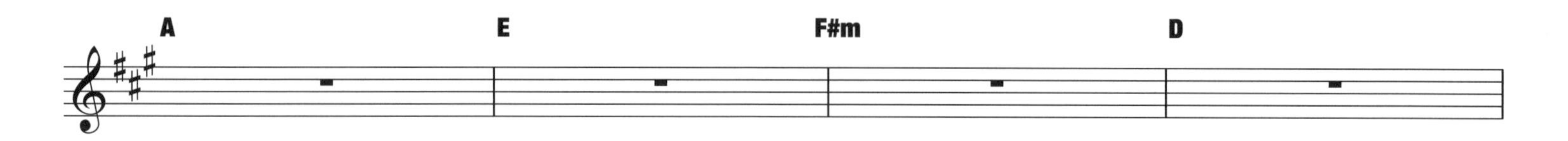
A
E
F#m
D

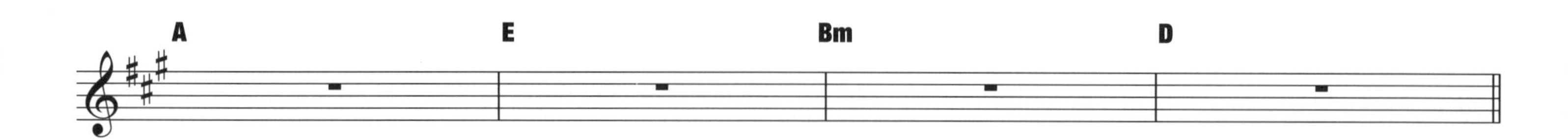
A
E
Bm
D

## BRIDGE

E
F#m
D
Just when you think you got me fi-gured out the sea - son's al - rea - dy chang - ing.

E
F#m
D
I think it's cool, you do what you do___ and don't try___ to save_______ me. I'm a

## CHORUS

A
E
Bm
D
bitch, I'm a lov - er, I'm a child, I'm a moth - er, I'm a sin - ner, I'm a saint, I do not feel a - shamed. I'm your

A
E
F#m
D
hell, I'm your dream, I'm noth - ing in be - tween, you know you would - n't want it an - y oth - er way._ I'm a

## CHORUS

A
E
Bm
D
bitch, I'm a tease, I'm a god-dess on my knees. When you're hurt, when you suf-fer I'm your an-gel un-der-co-ver. I've been

A
E
F#m
D
numb, I'm re-vived, can't say I'm not a-live, you know I would-n't want it an-y oth-er way.

## OUTRO

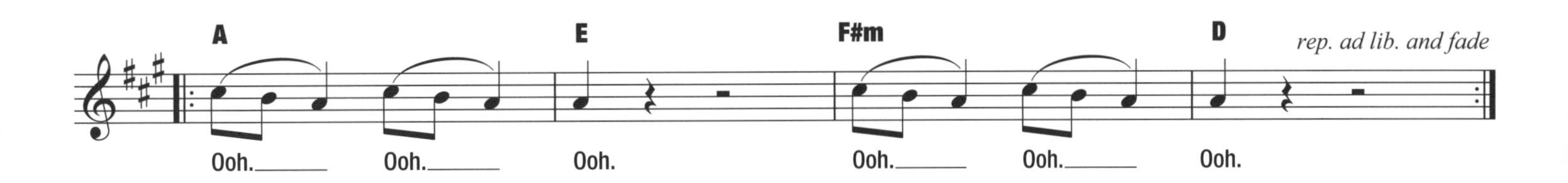
A
E
F#m
D
rep. ad lib. and fade
Ooh. Ooh. Ooh. Ooh. Ooh. Ooh.

# Bosworth Neuheiten und Bestseller

NUR FÜR ANFÄNGER
Gesang
SING-ALONG
CD

**Nur für Anfänger
Gesang**

BOE7288
ISBN 978-3-86543-135-6
9,95 €

NUR FÜR ANFÄNGER
Gesang
SING-ALONG
CD

**Nur für Anfänger
Gesang – Workout**

BOE7409
ISBN 978-3-86543-285-8
17.95 €

BEST OF

**Ich + Ich
Best Of Songbook**

BOE7222
ISBN 978-3-86543-423-4
22,50 €

Glanzlichter:
Die schönsten Musical-Songs
BOSWORTH EDITION

**Glanzlichter
Die schönsten Musical-
Songs**

BOE7180
ISBN 978-3-86543-397-8
19,95 €

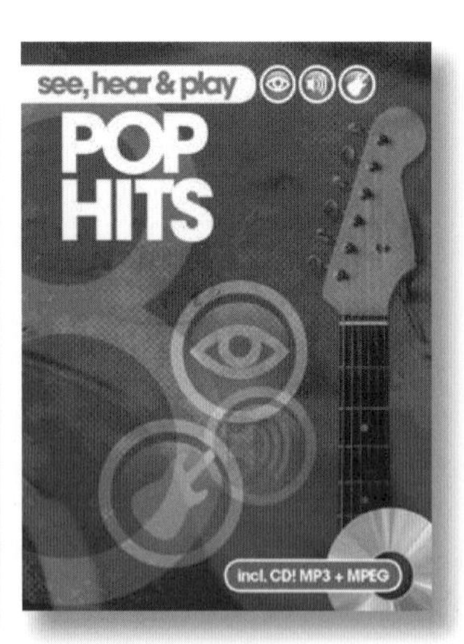
see, hear & play
POP HITS
incl. CD! MP3 + MPEG

**See, Hear & Play
8 Pop Hits**

BOE7515
ISBN: 978-3-86543-455-5
17,50 €

PETER FOX
SONGBOOK

**Peter Fox
Songbook**

BOE7370
ISBN: 978-3-86543-445-6
22,50 €

silbermond
DAS LIEDERBUCH 2004 - 2010

**Silbermond –
Das Liederbuch 2004-2010**

BOE7497
ISBN 978-3-86543-381-7
19,95 €